# 建築動詞

張永和 / 非常建築 作品集  · Yung Ho Chang / FCJZ

評論　Lars Lerup、阮昕、侯瀚如、周榕

# 第三種態度

張永和

建築師面對市場經濟，可能持有以下的三種態度之一：
第一種：無條件參與到生產與消費的機制中去。
第二種：批判並（盡可能）拒絕參與。
第三種：批判地參與，介於一、二兩種態度之間。

第一種態度不質疑自由市場，經常誇張包括建築學在內的學術與市場對立的可能性，懷疑、否定研究，最終懷疑、否定建築學的意義，否定建築。

第二種態度的持有者很可能具有中國傳統文人精神和/或經典馬克思主義意識形態。也有誇張學術與市場對立的可能性的傾向，但選擇學術、選擇研究、進而還可能選擇形而上的非物質的建築。在現實中，拒絕參與常轉化為有限參與，強調所參與工程的少/小、緩慢、選擇（業主、專案等）。

第三種態度不否定自由市場，認為學術與市場沒有必然的矛盾，因此建築師可能也必須在實踐中堅持建築學的思維方式，堅持研究。也正是非常建築的態度。

> 最近注意到建築師伯納德‧屈米（Bernard Tschumi）曾有過非常相近但更為清晰的論述以及類似的立場。在此向他致敬。

態度＝立場

## 明確立場

立場主要分為政治/經濟/社會/文化四個互相關聯的方面：

### 政治的立場：
建立社會民主意識。
民主意識：獨立思考，互相尊重。
社會/公共意識：個人作為社會這個集體中的一員；通過改善社會而改善個人境遇。認為強調競爭的負面作用是促成階層的分化、社會的不穩定、以及生活環境質量的下降。

### 經濟的立場：
認識市場經濟：
積極的一面：經濟發展創造了建築實踐的機會；市場經濟引發的社會及文化變遷，又進一步創造了參與定義當代中國建築乃至當代中國文化的機會。
消極的一面：市場經濟的危險是任何事物都可能被轉化為商品。建築學以及建築師工作的意義被消費、被消解。

### 社會的立場：
關注社會及其存在的問題。社會問題具有綜合性：公共空間、公共（低收入）住宅等問題具有政治性，歷史保護的問題具有文化性，等等。
城市是一個政治/經濟/社會/文化高密度綜合體。

## 文化的立場：

認為當代的世界具有複雜性、矛盾性、模糊性、開放性、多元性；認同後現代主義哲學的認識論。中國文化處在轉型時期，當代文化，特別是都市文化，正在形成的過程中，尤其不確定甚至混亂，從而為主動性工作創造了空間。同時目前工作具有實驗性也是必然的。

在建立了以上立場的基礎上，可以認為：
社會實踐是商業的，但並不意味著建築師對商業主義的盲目認同。對建築學價值觀的堅持，實際上也構成對資本主義的批判。
社會實踐的實質是通過建築設計服務社會，但並不意味設計能解決建築以外的社會問題。
實踐的組織形式、規模，以及內容都不是決定性因素：
形式：可能是大公司式的或工作室式的或其他形式。
規模：既不從利益出發追求大，也不以藝術為目的選擇小。
內容：可能包括建築設計、規劃、室內設計、展覽/裝置設計等等。
批判地參與並不意味著與業主的利益矛盾；可能的話，與業主共同關注立場性問題。建築業主總是屬於某一個人群，但建築最終是為了全社會的。


# 制訂策略

策略＝方向

策略是在特定立場上建築師對進入一個工作時，在方向、方式上的決策。
方向和方式都是具體的。

建築面臨的問題很繁雜。但建築師的社會意識可能促使他/她特別關注公共空間，將主要能量投入公共空間的創造，其他問題退到相對次要地位。這是立場直接影響方向的例子。

在更基本的層面上，一個專案不是全方位地平均地展開研究/設計，而是有必要建立起一個主攻焦點。如有些大規模低造價辦公空間，結構的突破難度很高，但在功能的組織上尚有發展餘地，因此決定從使用而不是從建造入手。這便是方向上的選擇。又如，以多種可能性功能表或單一答案啟動設計，是方式上的選擇。有策略的工作是主動的工作。

方向和方式可能是階段性的。就中國傳統的問題而言，我們先後選擇了空間、建造、和形式作為不同時期的工作重點。因為前人在繼承傳統形式/形象方面做了大量、成熟的工作；為了避免低效的重覆，我們在實踐初期決定從自己考慮更多、更熟悉的空間的角度出發探索傳統。但過程不是簡單線性的遞進，研究積累、疊加，思考形式並不意味著放棄建造或空間。

所謂概念思維方法實質上是限定問題的方式，即對某一事物是否可以轉換視角去理解？從而加深對其的認識或發掘其更根本的性質。因此是分析梳理問題的工具。在非常建築以往的工作中，將建築作爲人造地形看待是概念思維的產物。將單體建築設計作爲城市問題處理，是社會性的同時也是概念性的決策。概念思維並不限於策略制訂階段，而是貫穿了整個工作過程。

### 立場/策略的意義：

明確建築立場是試圖回答爲什麼做建築的問題。制訂策略是試圖宏觀地回答如何做建築的問題。

制訂策略＝建立評價標準體系。在如何的問題上不依賴審美趣味作判斷。

建築師容易過分強調建築審美趣味的重要性，尤其與業主或大衆的趣味產生衝突時。由於趣味比較感性，使建築師與業主或大衆的交流又產生困難，導致建築師往往被動地妥協或簡單地堅持。

立場/策略把建築的溝通放在討論問題或思想的基礎上。幫助建築師超越“趣味＋控制”的工作模式。

立場的根本性，策略的不定性，也使建築超越風格。


## 進行設計/研究

設計是在立場/策略的基礎上做具體的建築決定的過程，即試圖微觀地回答如何做建築的問題。

### 設計的定義一：

設計是實現立場、執行策略的手段。

進而，
### 設計的定義二：

設計＝資源組織

由於上述立場本質上肯定了建築實踐的社會性，設計因此不但不可能迴避社會實踐的複雜環境，而應將此環境中的種種因素充分調動起來。

資源永遠是有限的。然而，不同的組織方法產生不同的效益。

資源組織的態度將侷限性認爲是資源的一部分。侷限可能包括業主、規劃要求、基地、使用、造價、規範、進度等。設計的挑戰是如何將消極條件轉化爲積極條件。

要組織資源，就必須對資源分佈的狀況有所準確瞭解，因此需要研究。

研究與設計的關係不是線性的，可能同時進行，並互爲工具。也就是說，研究連續的，如同概念思維，也貫穿設計的每個階段。

**研究的典型物件：**
微觀的：材料/建造/結構/圍護/空間/使用/形式/基地等，即研究認識建築自身。
宏觀的：傳統/城市/可持續性發展/生態，即研究認識建築與社會的關係。

**研究改變設計的意義：**
研究　相對於　創作
發現　相對於　表現

創作與表現都暗示建築的想法是建築師頭腦中固有的，與設計作為資源組織的工作狀態下建築師尋找答案是兩個完全不同的方向。設計作為資源組織是立場指導下做出的選擇，而不是設計定義唯一的可能。然而，在兩個方向之間跳躍或搖擺只能消解方向。同時，我也不認為大多數建築師，包括我自己，頭腦中存在著既定的答案。

資源組織不否定建築工作的創造性。事實上，深入的研究輔之以概念性分析是產生特定的解決問題方式的途徑。既然是特定的，就很可能是非常規的。

非常建築的社會實踐是以中國為基地的，與中國的市場經濟的發展同步，希望通過上述認識建立起的是當代中國建築實踐的狀態。

# 桶與推土機

## 論張永和及非常建築的工作

李若普（Lars Lerup，美國萊斯大學建築學院院長）
何慧珊 譯　張永和 校

毛澤東重寫了這個故事，張永和則需要將它背誦下來：愚公移山，一桶一桶地。在毛的故事中，愚公是聰明的，他表現出了堅強的意志，並且確信中國將會以這樣的精神建立起一個新國家。毛並不知道他的這番話將成爲今天的預言，只不過不是以一桶一桶的方式。年幼的張永和在背書時也不曾預知，作爲一個成熟的建築師，他將要成爲移概念之山的愚公：一桶一桶地，在滿是推土機的中國。

最近剛從北京短暫旅行回來，城市發展的全面衝擊讓我暈眩。"建設的震撼"與"新事物的震撼"並不完全一樣。中國的建設無疑是視覺的和新鮮的，同時也是實在的，不僅擠壓著你的瞳孔和心臟，還擠壓著你整個的身體。這種衝擊，並非由愚公式的人力提桶隊構成，而是由集團式的推土機所組成，規模大到不可思議。不可思議，是因爲這不僅僅是一項獨立的事業，而是同時並行的多項事業，並且各有各的使命。

與中國的情況相比，二戰後歐洲的重建在規模、速度、和野心上都顯得蒼白。即使是像墨西哥城和聖保羅那樣的城市持續增長，那些經常被描繪爲來自貧民區的家庭提桶隊所取得的種種成就，都無法與中國發展所特有的技術威力和目的性相媲美。數以千計的家庭式工程隊同時行動，較之數以百計的開發商聯合群體的同時行動，二者之間差異極大。同樣，不可預見的結果也成指數倍地增長：墨西哥城歷經數年產生的空氣污染，在北京瞬間就能完成。這種新型的極度發展瞬間所產生的後果，不僅侷限於本地，而且是區域性的（如果不是全球的），它的影響也不止作用於城市的特性，而且還包括整個的環境。

我瞭解到，珠江三角洲地區（香港的郊區？）曾經有著起伏的地形，但它的自然的高差現在已經被推土機鏟平了。珠三角於是被抹去了過去的文化景觀，抹去了三角洲的迂迴和曲折、沈積和深層，代之以中性的、適於開發的裸露的平地。這一現象背後所帶來的巨大挑戰一時被忽略了。

建築及其概念更是受到大發展的激烈挑戰。商人們沿北京的主幹道鋪開了一片片的開發場地，他們不僅摧毀了古老的胡同，並且取而代之以架設在包含了服務設施基座之上的那已基本行不通的高層建築的概念。這種高層建築放棄了類型學的差異，普適地容納著辦公、輕工業和住宅。所有這些無特色的建築群，所幸彼此毫無瞭解，它們增生並且擴散著，帶著自己肆無忌憚的變異，製造出不可預測的影響。其實，建築必須讓位給城市設計的概念已經存在，但是在城市設計這個領域，自從30多年前被作為建築和規劃之間的過渡重新被塑造後，就一直沒有取得什麼進展。

城市設計概念中最聲名狼藉的例子，可能是勒‧柯比意為阿爾及利亞的首都阿爾及爾市所作的規劃。其中，一個線性的結構，包含了一個城市所需的全部物質要素（從城市設施到住宅、交通、工作和娛樂），被鋪展重新組織成一個完全無組織的類城市的“蔓延”。儘管很烏托邦很張揚，這個規劃還是使人們清晰地認識到，城市並不是各個部分的簡單拼合。由於城市的基本性質，僅靠隨著時間不斷演變的建築概念似乎仍不足以智慧地積累起來，用以建造一個好的城市。僅僅作為城市的組成要素，建築的智慧完全內在化了：不同的樓層通過電梯有效的連接，公寓和辦公樓下設置停車場並配有便利商店，但卻把建築與城市之外的聯繫轉交給了一系列的道路，同時也把副作用甩給了四鄰。

通過批發進口這些在西方已被廢棄的建築概念，中國的城市建造者也招來了巨大的挑戰。悖論四處可見。中國與西方的傳統相反，建築（以我對中國歷史業餘的理解）的重要性在歷史上次於景觀設計。例如在紫禁城建築被降格為守衛空間邊界的位置，只會偶爾地佔據空間的中央：北京所有主要的大型專案的周邊綠地都被圍牆從“不利的環境”中保護起來，甚至是典型的胡同四合院住宅亦然。中國建築從屬於它所圍合的空間，與西方高層塔樓居中、開放的空間像裙子一樣佈置在四周的情況有著根本的差異。從周邊的圍合空間到基座上的塔樓需要跨越一大步：需要一次大躍進來轉化、融合，或連接兩者，以建造一個能與其與眾不同的歷史相媲美的中國城市。

通過對清朝乾隆皇帝統治時期《京城全圖》的大致審視，可以發現更為禮儀性的區域中層層的院落，以及被細密劃分的更鬆散的"網格狀"胡同。地圖微妙的遞減秩序，描繪了一個結構極端清晰和社會經濟體制等級化的城市。被現代北京完全忽略的，而在城市現代化過程中又極其司空見慣的悖論再次呈現出來——為什麼我們總是摒棄舊事物？值得注意的是，世界上最具效能的城市，同時對西方的建築觀念進行了最富思考性轉換的香港，似乎已被遺忘，而不是作為當今中國發展模式的一種資源，至少是一種參考被挖掘出來。

進而，鑒於他們實踐的性質，中國的建築師正以同等的速度每日忙於改變。難以設想的是，這種驚人的高速變化還伴隨著這樣一種轉化，即從重要大學的附屬設計院向西式事務所的自由建築師轉化。張永和就是第一批迎接這種挑戰的建築師之一。張及其工作室現在的成功，反映了社會的劇烈變革以及他的堅韌與使命感。他是第一個在文化大革命後出國留學的（建築學）學生——8億人中的第一個！他在美國流星似地做了學生、概念設計者和教師，然而決定回國——這裡沒有人才流失的現象。作為他事業的關注者，我為他取得的成就高興，但也強烈地感受到他和他的搭檔魯力佳長期以來的艱苦努力，更強烈地意識到他們今後還要做出的奮鬥。

張到美國時，帶來了一些已經早被西方遺忘的精湛技巧，如：水彩畫技法及畫中空間的概念。他很快使這種理解適應了在柏克萊的學習，並在以後事業的階段中不斷研磨發展。他對電影侵略性地觀看另一個世界的興趣，最好地反映於他長期對希區考克電影《後窗》的執迷之中：影片裡，坐輪椅的吉米斯圖爾特（片中男主角，新聞攝影記者，名叫Jefferies）穿過院子觀察一個殺人嫌疑案。我認為張在那些年形成的敏感在他現在的工作中仍然存在。可以以他最近在哈佛的展覽為例：有如建築太極般的箱子的變化轉換，這就是典型的他的那種敏感性的體現。

張的作品似乎有一個無形的觀察者，而這個觀察者就像斯圖爾特那樣帶著懸念，並且總是在一定距離之外。當我像一台照相機一樣確定位置，面對重慶的中國西南生物技術中試基地時，我甚至感到輕微的希區考克式的震顫。立面上的洞口似乎是探測性的、侵略性的，彷彿是因我的注視被切開的。然而，建築憂鬱地低語，簡潔而堅決，如同在渴望尋找和展現某些失去的東西：是科學家？還是他們寫在黑板上的程式？還是對中國景觀的點滴思考？建築的"缺"是空——精神的空—— 一種心靈景觀。建築的平面強化了這種暗示。事實上，其平面可能是《乾隆京城全圖》的一個片斷：多用途的大空間和毗連的小空間，似乎可以從圖中任意中等尺度的建築群中截取。這個實驗室建築是一個辦公景觀，它的"另一面"就是被遺忘已久的城市。

位於北京北部離長城不遠的地方，雪犁般地順坡而下，有個二分宅。它像雙眼似地凝視著我們——這是另一種簡潔的宣言。兩個盒子圍合的山坡一隅和景觀，並非紫禁城內或中國傳統住宅中的封閉式庭院。這可能是發展的下一個階段嗎？在這種發展中，景觀和外部世界不再被拒之門外，而是允許其進入——儘管只是擠進來——使得難以駕馭的自然界與秩序井然的人造物結合起來？或許，二分宅既是建築又是景觀建築——它是中西方的結合？

與伴隨著中國現在的建設泡沫的巨大建造衝擊相反，張的盒子式作品可以被看成是仔細推敲的建築之桶。他面臨的挑戰是（就此而言，每個中國建築師都面臨的挑戰）：把他可觀的建築敏感帶入（法式）宏大專案的複雜領域中。在總統們的支援下，只有法國人會有膽量和極大的野心——有人還會說傲慢——把建築提升到一個需要全新的建造和組織運籌的宏偉的層次。建築的群體需要外部和內部的整合，它們總是用途多樣而且複雜，插進已然複雜的城市中，並以相同的強度影響其基礎設施和環境。如同城中城，法式宏大專案顛覆了阿伯堤的建築格言的一面：建築不再是一座大的房屋。而張的（重慶）試驗室建築瞭解這一點：一個房子就是一個小城。

有跡象表明，張知道方盒子無論如何旋轉和扭曲，在概念上對複雜的新城市來說都是不夠的。他的竹化大廈專案，一個位於北京的小單元創造性辦公樓，指出了一個新的方向。在這個專案中，三個方盒子放置在一起，形成一個曲折的整體，而從來不會太遠的花園則是種滿了竹子的二層空間牆體，並構成建築的外層表皮。很明顯，這是張對其早期關注的事物的徹底重構，由此開始去滿足複雜城市的需要。"竹化城市"仍然是一個片斷，卻已暗示了當案子越來越大、越來越複雜時建築師所面臨的問題。

張是古老的北京大學中一個新的規模甚小的建築學研究中心的主任。這所建築學校在常見的圍牆內，北大校園裡一座如今正被工作室熱情地改造著的老合院中。張正和他的團隊同時在建設著中國建築師的新一代，一項至少與建築實踐同樣令人興奮和有前景的工作。

在北京大學一教師住宅樓內，我和張的搭檔魯力佳站在剛裝修好的公寓客廳裡，並一起走到窗前觀察大學圍牆外邊臨近的圓明園—— 一個早已被焚毀的皇家園林。"我們非常喜歡這的景色。"她說。

圍合的園子從來都不曾遠離中國的趣味，它是歷經多個世紀形成的，現在掌握在年輕一代建築師的手中。我一點都不懷疑，園是古老的中國文化中居住的軌跡，而現在卻受到了嚴重的威脅。這些園文化的破壞者們不曾意識到的是：在張的非常建築工作室裡，他們會遇到強大的對手。不久，他們將以推土機對陣。

# 空間隱士之矛盾

阮昕（Ruan Xing，澳洲新南威爾斯大學建築學教授）

陳昭棣 譯　楊明家 校　阮昕 審訂

近十五年來，張永和對建築的內心世界曾做過屢次思辨探險。部分原因是他醉心於其中，另一方面似乎是他對於建築有某種使命感。張永和對建築的"外觀"沒有太大興趣，而卻沉溺於空間中那位"隱士"所能引發的回憶與經歷。這點我會在後面補充說明。當中國建築開始受到西方認同的二十世紀末，張永和突然成為這歷史性一刻的焦點。這一切開始於西方主流建築雜誌對他作品所作的報導（其中許多並未實施，有些只是裝置藝術而已），以及應邀在2000年威尼斯雙年展中展出。這些成就對於日本或印度的建築師來說或許微不足道，因為在那裡的現代建築早就因其帶有一點異國風味而為西方以"批判性地域主義"所稱許。但就中國的現代建築而言，張永和的地位已是舉足輕重了。雖然他一直到了1996年才開始在北京執業，但他竄升在世界舞臺上的驚人速度，使得他在這千禧年之初引起眾人無限期盼。

在西洋建築的現代主義議題中，居然未論及到二十世紀的中國建築，這是相當詭異地：甚至連法蘭普頓（Kenneth Frampton）深具影響力的作品《現代建築：一部批判性的歷史》（*Modern Architecture: A Critical History*），或考斯多夫（Spiro Kostof）的《建築史》（*A History of Architecture*）都隻字未提。就我所知，除了少數張永和的作品外，西方主流建築雜誌在上個世紀完全地將中國建築排除在外。只有在費雪爵士（Sir Banister Fletcher）新版的《建築史》（*A History of Architecture*）中，以一種走馬看花的態度，收錄了一些二十世紀的中國建築作品。對西方世界而言，中國建築在企圖脫離其淵遠流長的歷史背景中，反倒顯得更加遙不可及。

張永和的成就對於在西方世界裡沈默近一個世紀的中國建築而言，無疑如同注入一針強心劑，然而這並不是未費吹噓之力就"自然形成"。不過我並不想在這裡討論中國建築之所以"缺席"背後的社會政治因素：而是想透過對張永和的教育背景及建築作品的詮釋，以便將這段關鍵性的歷史演變透視放大。

張永和最初在當時的南京工學院就讀（現已改回它原名：東南大學）。這個學院的前身是二十世紀初期中國的第一所建築學校，並且在1940年代，由於一群年輕建築師的加盟而享譽盛名。這群人大多受教於賓州大學法國教授保羅·克瑞（Paul Philippe Cret）門下，其中最著名的是已故的楊廷寶教授（克瑞的明星學生，曾與路易斯·康(Louis Kahn)在賓大同班）。楊廷寶教授後來成為二十世紀中國享譽盛名的建築師及建築教育的鼻祖。張永和的父親張開濟於40年代受教於楊先生，並且在50及60年代負責北京的一些重大政府機關建築物的案子。張永和步入父親後塵，花了三年的時間在南京跟隨當時仍是精神領袖的楊先生學習；楊先生在不久之後，即於1982年去逝。不過張永和很快地就對中國版的賓大布雜學院風格感到厭煩。直到1981年，這個被孤立於西方之外十年之久的中國，新鮮的洋風再次漸入，而張永和亦在此刻迫不及待地逃往美國去了。"在命運的照化之下"，他來到了印第安那州的波爾州立大學（Ball State University）。

張永和很幸運地在他的啟蒙老師容德尼·沛萊斯（Rodney Place）指導下，得到"二手"的"英國建築聯盟"式的教育，這對他多疑的思緒提供了及時養料。就某種程度而言，張永和的"建築成人禮"終於在1984年得到柏克萊大學建築碩士時得以完成。在那裡，張永和結識了李若普（Lars Lerup），並因此對其自身建築的思辨性信心倍增。他開始嘗試自己的想法，並成功地得到許多國際大獎——最著名的是1986年日本"新建築國際住宅設計競圖"第一名，及1992年紐約建築聯盟(Architecture League of New York)青年建築師論壇獎(Young Architects Forum)優勝。他亦爭取到在美國頂尖大學任教，例如柏克萊大學及萊斯大學(Rice University)。在他以紙上建築師的身分享譽國際間的同時，其實也在為回中國作準備——在美期間，他經常將他的文章及競圖構想寄回家鄉發表。

1996年在建築委任案子漸增的機會下，張永和回到了中國。在這之前，張永和同樣是建築師的妻子魯力佳已於1993年成立了小型的事務所"非常建築"，足足有三年的時間，他奔波於中國的實務工作與萊斯大學的教職之間，也因此沒有蓋出任何作品。一直到他辭去了教職，搬回北京，才開始有一些作品出現。

## 腳踏車與竹子

正如所料，張永和急於將他的建築理論付諸實踐，但出人意料的是，這些理論卻在他一種大膽巧思之下給具體化了。他不用英雄般宣言，其策略爲誇張時下中國社會中不協調的奇怪現象，然後對此加之彌補。張永和在北京"都市實驗室"這個裝置藝術案子裡對此做了直觀闡述。在這作品中，張永和在兩扇已廢棄不用的車庫推拉門間，置入了步行出入口。這出入口是由一個可折疊式的門框和一個旋轉門所組成。當原本的橫拉門以原方式闔上時，新加的門亦被隱藏起來。

現在我們有必要來解析一下"非常建築"這個名稱的含義。在中文裡，"非常建築"這幾個字會因唸的時候重音的不同，而產生雙重意義：它可以代表著"很平常"的建築，亦可以表示"非比尋常"的建築。這個名字並沒有明確的劃分出"平常"或"非比尋常"的界限，反倒將兩個相反的意思放在同一個字裡，從而暗示了兩者可互換的可能性。

張永和在1996年建造他的第一個作品"席殊書屋"，這是一間位於北京的書店，但這作品卻在2000年時遭到拆除。這個書店位於50年代一棟大型公共建物的一樓公共通道裡，長方型的通道空間有著一批裝有腳踏車輪的書架並列在兩側。這些書櫃的旋轉軸皆依附在支撐夾層樓板的柱子上；也因爲如此，這些書櫃都可以自由旋轉移動。

在中國，沒有什麼比腳踏車更普遍了，但是張永和卻硬要找出它們與周圍環境的誤會。張永和提醒我們，腳踏車其實是源於歐洲的產物。真正令張永和感到興趣的，是腳踏車帶給騎乘者的那個想像空間。他深爲歐伯恩（Flann O'Brien）在愛爾蘭的腳踏車神話所深深吸引——有一個人在騎了一輩子的腳踏車後變成了一輛腳踏車，而那輛腳踏車也同時變成了一個人！當張永和仍是波爾州立大學的學生時，他曾企圖設計一棟專供美國青少年使用，並且能讓腳踏車在裡面作各種跳躍、舞動的公寓，以便結合腳踏車與公寓生活。然而，他發現真正的趣味並不是腳踏車被騎著的時候，而是被用作其它用途時——或許我們可以把這個稱爲是一個美麗的誤會吧。張永和亦曾說過這樣的故事：一個北京的軍人去上班時，不把腳踏車當車騎，反倒是把它當作是啞鈴般的扛著走；另一個殘障的廣東農夫則把腳踏車當拐杖用。

一個之前被腳踏車所佔用的通道，卻被轉型爲書店本身聽起來就有點格格不入。因爲這個空間原本就是被腳踏車所佔用而轉化成一個停車空間，所以順理成章地衍生出這種所謂"半書架半腳踏車"的設計。但詭異的是，張永和自己大概也沒料到腳踏車居然反過來預言了這家書店的命運。這家書店最後竟再一次地由於交通問題而被拆除。對張永和而言，他應相當慶幸，這家書店就像是腳踏車上的輪子般，完成了其生命輪迴。雖然整個事件中，騎腳踏車的人並不復見，但張永和的"空間隱士"卻在這作品中浮現而至——那短暫神秘的生命週期即是最好的見證。

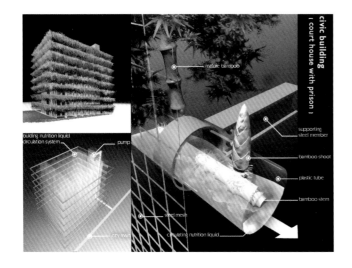

在過去的幾年間，張永和完成了一系列和竹子有關的創作，這些作品亦包括他在2000年威尼斯雙年展的作品。他的想法是將竹子轉化為部分都市公共建設的管線，與水、電、瓦斯及電訊系統並行，以修復被破壞的生態環境，同時強調都市密度及體現中國風味的生活狀態。這個想法一開始是為了中國南方安吉縣的竹子城，而提出"竹化城市"的構想，其切入角度似乎是技術性。他利用工程圖的方式來詮釋一系列的竹子如何自行貼附在城市裡的每一棟建築上，並且沿著建築物的立面和屋頂生長。人們自然希望竹子能提供遮陰、清潔空氣和調節濕度的功能。

當然這並不代表中國城市的生態就會因此而得救，如果真有人認為這樣做就可以彌補日愈增加的私家車及巨型建築所消耗的能源，那就實在太天真了。但若將之視為一個單純的科技問題也一樣是單純可笑的。張永和在威尼斯雙年展的裝置，就是將活的竹子作成屏風門原型，竹子在半透明的箱子裡整齊排列。儘管這很像一幅中國水墨畫裡的竹子，但張永和的竹子其實是由建築捕捉出來的"生命"。更加令人嘆為觀止的是一系列為安吉縣所設計的電腦合成影像，竹子在一些半透明的架構中，盡情的展露、排列、集結、分散、甚而曲膝扭腰於城市中。這不禁令人猜想，難道這竹子竟是張永和"空間隱士"的替身？

## 平行空間

潛浮在張永和的作品裡的空間隱士並不一定是一個具體的形象，如腳踏車或竹子。但這也不代表他的作品是抽象的：正相反，當張永和的建築完全脫離形象時，其用意是令建築更具敘事性。希區考克的窗戶和它因"偷窺狂"而顯現出的力量，已是張永和早期作品中重覆出現過的題材——從可居住的相機盒"影室"到"衫屋"（Shirt House）及"首宅"（Head House）等，這些僅是這一系列中的幾個而已。張永和將這偷窺的窗不斷地加以平行重組，並強化框景的周邊及深度。這個想法主要被用來刺激孩童的視覺遊戲，並且在90年代初期中國一系列的幼稚園設計中予以嘗試。

張永和很早就意識到建築無法像文學般表達意義。他參照羅蘭·巴特（Roland Barthes）對建築下此定論：建築是所指與能指合二為一：它只能表達自身。當空間以平行方式成形時，它亦應能有效地發揮自身潛在的能動性。作為西方建築風格形式演化下的產物，張永和認為建築師通常對自己比對其建築更感興趣。傳統的中國建築由於一直都只存在著一種風格，也因此常被視同為沒有風格；這種缺乏風格的建築卻反被誤認為千百年來重覆一個風格。儘管可能有人會質疑這種平行空間看似無風格的建築缺乏變換，張永和把自己列為是這個傳統的一部分，並堅信這種建築形態在詮釋空間的方式上具有著無限的發展潛力。

在1986年"新建築住宅設計獎"第一名的作品"四間房的單身住宅"中,張永和便嘗試著去包容單身漢在都市生活中的兩相矛盾──如張永和所言,傳統建築賦予單身住宅的功能性、便利性必須注入心靈上的以及對理想之寄託。這四個平行房間全無形象可言:然而每間房間的私密性程度都有所不同:從最開放的框架(陽臺),到最封閉性的空間(房間)。在一個90立方公尺的混凝土框架之中,它們可以依任何一種順序排列。甚至房間的功能進一步藉由傢俱的擺設來決定,所以每個房間的角色也是可以互換的。張永和將他的靈感歸功於中國住宅概念:臥室(在中文裡即是睡房,而英文直譯為床房)的定義並非只是擺放床的地方,而是和睡覺及其他活動相關的地方。由此可見,張永和在設計這四個房間的時候,已把他假想的空間隱士融入在一個單身漢的日常生活儀式中。

這種所謂"中國式"的互換空間,在使用上頗具開放接納的彈性,不過在這個案例中,那位"空間隱士"其實就是設計者本身,他的目的是要引發居者更多思考,更多聯想。根據羅賓·伊文斯(Robin Evans)所言,十六世紀義大利住宅別墅裡的房間,通常是相互連接的,這並非是無意味的均質設計,而其實是在響應一個建立在肉體之上的社會性:視身體為個人,因而簇群成了其生活習慣。 然而十九世紀英國住宅裡的走道卻是在敘說著一個完全不同的故事。無論含意如何,空間安排與居者在妥協之過程中達到理解,其作用是深具能動性的。

張永和並不滿足於平行空間所能引發之聯想,他希望要更進一步。在中國科學院晨興數學中心的案子裡,他盡興地導演了數學家的日常生活。在中國科學院晨興數學中心作訪問研究的數學家,依規定是要住在同一棟房子裡生活及工作。他認為這是個很不合理的現象:因為數學家在這種情況下,將失去了體驗城市的樂趣。因此為了這些數學家,張永和把這棟七層樓的建築物視為是一座"微型城市",並把裡面規劃成由五棟建築物所組成的一個生活空間,彼此以天窗及天井做為界定(如同是個小型的四合院)相隔開。他為他們所編想的生活腳本是這樣的:數學家的宿舍朝東,所以他們會在朝陽下起身。數學家的"辦公空間"朝南,所以當他們要去"上班"的時候,他們從東向的宿舍"通勤"到南向的辦公室,在他們上班的路途中,他們會經過一座橋樑並進入一個迴廊,這個過程就像在城市裡由自宅通車到上班地點一般。

1997年，張永和完成了北京康明斯公司總部的辦公空間。在這設計案中，他將一般開敞型辦公空間整個顛倒過來：以下方透明、上方半透明的玻璃牆分隔不同的辦公空間。其原因是張永和覺得人坐著工作時亦希望能享有自然光線和辦公視野。相反的，當他們起身休息時，卻不希望別人看到，擁有一點隱私權。這在法蘭普頓看來，是一種"思維的反諷"（intellectual irony）。法蘭普頓評論道，"在這裡我們正目睹一部如同電影般虛幻的情節，劇中沒有頭部的身體將一個應該是普通辦公室監獄般窺視的影像轉變成像迷宮般讓人摸不著頭緒的情境。而獨立辦公室反倒成了窺探者的天堂，因為你不但不需偷瞄，還可正大光明的看著在裡面正上演著的"腳踝裸露記"……。"在張永和的設計中，概念從未缺席。探討至此，張永和一次次的想要告訴我們，潛浮在他作品空間裡的這位隱士，其實就是他自己；而當這位隱士主角依稀可辨時，其空間之敘事情節即徐徐展開了。

## 矛盾

如同一個拾荒者般，張永和習慣性在周圍發掘出誤會及錯置現象。他在將這些現象串聯整理的同時，也將其弔詭性加以強調——就如同他工作室名稱所暗喻的雙重意義般。它的真正意義完全是取決在使用者把重音放在"非常建築"的那個音節上，而這也只有在開口大聲朗讀後，才有辦法解讀。文字的本身是沈默的，羅蘭·巴特卻認為應寫出"響亮的文字"。建築本身亦是啞然無聲的，但張永和卻希望他的建築能具有可意會之敘事情節，在"可置換"的閱讀與"可意會"的閱讀之衝撞下，留下的仍是一對矛盾，以及一連串由此而生的其它解讀。例如：張永和一方面希望能創作出具批判性的當代中國建築；另一方面，他的作品中總還是存在著那似曾相識的中國情結。這些作品中，未曾嘗試去揣測未來；相反的，他們喚起對過去的回憶。正如同在他作品中不斷出現的中國傳統四合院空間運用的影子，即使他有意無意的用比較平行抽象的方式來把它重新包裝，它仍然有一種懷舊的情感於其中。1995年廣東清溪的坡地住宅群，便是一個保有中國式內部庭院的"新世界"郊區住宅開發案例。這個案子並在1996年時得到美國"先進建築獎"（Progressive Architecture Citation Award）。這個案例雖然沒有實際建造，卻提出了對美國的郊區文化和當代中國城市郊區化過程的一個批判，同時也企圖重現中國南方城市原有親切的中庭天井及巷弄空間。

在張永和的建築作品中，現在開始出現構造與概念之間的矛盾。尤其是當他手邊的案子越來越多的同時，他無可避免的要面對許多材料與技術的問題。他近期的一些作品，包括以夯土爲牆體的二分宅和一個把一間紡織工廠廠房切割成兩半在內所建造而成的美術畫廊——他們在本身的材料構造的運用上是十分迷人的。或許是受到哥特佛利特・桑普（Gottfried Semper）的影響吧，不過很難想像張永和會犧牲其作品的敘事性及概念思辨來配合材料使用的邏輯。

張永和的作品中眞正的矛盾，其實是在形體與形式之間——前者就如同腳踏車或竹子般有著一個明確具體的形象，後者則是無形體的平行抽象空間。不論是那一種，張永和都希望將生命帶入建築，也就是我們之前所討論的這個空間隱士。無論這位隱士以替身出場，還是靠抽象空間產生能動力，張永和利用這位隱士遊走在他的具象論與抽象論之間。但畢竟形體與形式是不同的，一個是明確的形體，一個爲虛無的形式，一個是可以感受到的，另一個則僅是概念性的。可感知的形像和居民的集體記憶有關，例如腳踏車與竹子；而概念性影像則在一群心性相同的居民發生關係時才會被識別，如同法蘭普頓有關監獄與迷宮的文章般。張永和的空間隱士與其建築之間的矛盾其實最終發生於他作爲藝術家與哲學家的角色之間。

### 後記

當我快結束這篇文章之時，我的目光被桌上路康的西亞納（Siena）廣場這張畫給吸引去了。建築物所投射在紅色廣場上的巨大的黑影，在我眼中突然變成一群怪獸，彷彿那位神秘的空間隱士即將現身。然而在康的建築物內部，光線卻超乎尋常地溢入空間裡，形成一種沒有陰影的詳和氣氛；好像是在期待這位隱士的來臨。在張永和最近完成、位於青島海邊的北京大學會議中心裡，有一座通往屋頂沒入浩瀚海洋中的馬拉帕蒂式（Casa Malaparte）樓梯。但如果因此就將這棟建築視爲馬拉帕蒂或其它類似風格的話，那就誤解其含意了：這建築並不需要被解讀，而是需要你以滿腔的期望來對待它，像是引入天光的中庭裡期待薰香嫋嫋燃起。（原文寫就於二〇〇一年）

1 Zhang Yonghe（張永和）, "Wenxue yu jiangzhu, " in *Dushu*, No. 9, 1997, 71.
2 Zhang Yonghe（張永和）, "Zhuiru Kongjiang, ", in *Dushu*, No. 10, 1997, 33.
3 Robin Evans, "Figures, Doors and Passages, " 出自 *Robin Evans: Translations from Drawing to Building and Other Essays*, 倫敦：Architectural Association（建築聯盟），1997, 88.
4 Kenneth Frampton, "Foreword", 出自 *Asian Architects 2*, ed. Tan Kok Meng, 新加坡：Select Publishing, 2001, 17.

# "平常"與"非常"之間
## 有關張永和以及非常建築的評述

侯瀚如（Hou Hanru，藝術評論人、獨立策展人）
韓彥 譯　周榕 校

在90年代湧現出來的新一代亞洲建築師中，張永和屬於領軍人物。在美國學習和工作了十五年後，張於90年代初回到故鄉北京，創辦了該城第一家個人建築事務所——"非常建築"。面對中國及亞洲其他國家史無前例的巨變，國際影響與亞洲傳統、全球化與地方性已經成爲建築和藝術論爭與實踐中的主要話題。實際上，現代與後現代建築及文化間的"談判"在亞洲有一段意味深長的歷史，這些是與該地區許多現代化工程相伴而生的。

近期資本主義市場經濟的全球化和90年代亞太地區的經濟繁榮進一步加劇了這種論爭，把亞太地區變成了一個眞正意義上的創新劇場。新一代建築師——包括伊東豐雄、妹島和世、阪茂、承孝相、閔煊姝、季鐵男、理查德·何、陳家毅、莫瑋瑋、艾柯·普拉瓦多、以及張永和——開啓了建築創作的新視野，生產出更加多樣的都市現實圖景以及預見並構建亞洲未來城市的高度創造性策略。與前一代建築師們重新利用亞洲傳統因素，如本地的形式、精神、風水、陰陽等來捍衛地區性的做法截然不同，這些新生代的實踐家們將他們的思想開放向亞洲城市更爲當下和直接的都市情境：高密度的人口、快速但不均衡的經濟發展、不斷變化的時尚與生活方式、多元文化共存的社會、混亂而未經計劃的住居、污染、交通擁堵、以及社會的政治文化變遷。他們通過對眞實生活的研究發展出更具想像力、更靈活的策略和解決辦法。

毫無疑問，在過去二十年中國高速現代化的過程中，城市擴張顯然是最爲搶眼的一個方面，這種爆炸性的城市擴張正經歷著一場可被命名爲"後規劃"的獨特的激進過程。與從城市規劃到建設的一般程式不同，中國城市新空間的擴張、發展和創造是對現代化的迫切需要與市場經濟轉型的最直接回應的結果。新都市空間的開發和建設以及對原有城市的改造通常在規劃尙未確立的情況下就已經實現了。規劃喪失了它在城市營建過程中的核心地位。相反地，城市發展衍生得如此迅速和廣泛，以至於主要的決策過程往往被繞過甚至在某種程度上被忽略，城市的發展掙脫了城市職能部門和社會約束的控制。我們進入了這樣一個時代，在這個時代中任何規劃都是系統性"遲到"的亡羊補牢般的安全措施，規劃總是"慢半拍"。

在“後規劃”過程中，對於經濟和商業的考慮佔據了中心地位，取代了傳統的政治、社會、環境、歷史和個人趣味，成為塑造新城市的重要條件與動力。城市因此變質為商業城市。而中國社會，從某種角度上可以概括成羽翼漸豐的消費社會。

這一切都發生在極短的時間內，它可以被理解成一場真正的革命。作為世界上人口最多的國家，中國曾經歷了非常多樣化的城市形態和各種風格的城市營建。成千上萬大大小小的城市以各種各樣的形態分佈在全國各地，反映出不同的地理、經濟、和文化條件。然而在過去的十年裡，幾乎所有的中國城市都經歷了一場重大轉變：富於歷史感的舊城中心區被拆除，為美國和香港風格的摩天樓騰出空間。而全新的都市空間通常是在粗暴地侵佔自然地域或農田之後發展起來的，這些新開發創造的空間是房地產商品化的結果，反過來，又變成市場之地。若進一步觀察就會發現，這種城市空間快速的轉變/標準化並不純粹是經濟問題，而歸根結底是政治權力演變的產物，它是合資式的中國社會主義與美國的自由市場資本主義完美結合的化身。“後規劃”現象從本質上來說，源自一種新的城市政策，這種政策的基礎是關於現代世界的均質化圖景，而這種圖景則深深植根於共產主義意識形態與資本主義烏托邦式的現代性。通常，這些都是以“全球化”的名義發生的。從宏觀政治的角度來看，放棄規劃的權力和擁迎類無政府主義的城市發展首先是一種政治選擇，哪怕這種選擇是出於無意識的。極其有趣但值得疑慮的是，上述兩種烏托邦（共產主義意識形態和資本主義現代性）沒有一個曾費神為任何非主流的存在方式和個體自由提供空間。對於非普遍、非常規空間的排除以及用機動車交通系統替代步行空間是這種政策影響的最明顯表現。作為生活在今天中國城市的個人，參與創造堂皇富麗之城市王國的興奮，也意味著必須忍受獨裁式消費觀的壓力與政治文化的標準化。

作為“後規劃”過程的現場目擊者和參與者，藝術家與建築師們無疑是對這種現象的急迫性最敏感的人。他們對這一過程的反應和態度對該過程將如何發展具有重要影響。新型的城市生活為個人致富和事業發展提供了誘人的可能性，許多“知識份子”，包括藝術家和建築師，選擇加入主流，追求工作和生活方式上的經濟效率，而不是犧牲其餘的社會及個人利益，來為城市空間的標準化提供一種另類選擇。另一方面，另外一些人通過採取更為批判性的立場從當下的現實中獲得教益。他們批判性地分析並詮釋社會現實、構想公共及私人空間的未來圖景。正是在這樣的脈絡中，中國當代藝術和建築舞臺孕育出並發展著一股新生力量，它致力於尋求獨立、另類的城市圖景，以及直面社會潮流的策略。在強調個人立場和獨特想像之必要性的同時，這些建築師和藝術家們也渴切尋求與他們在文化—政治上具有共同立場的同類間的對話，這就推動和鼓勵了藝術和建築/城市之間的跨學科合作。這些建築師和藝術家們最通常關心和從事的是創造另類的、抵抗城市空間和社會生活均質化的公共及私人空間。他們尋找著屬於自己的場所，當然，也尋找著屬於他人的場所。

如果說主流的"後規劃"城市化傾向於以"推光鏟平"（tabula rasa）的策略來解決傳統城市遺產的"問題"，並拒絕接受歷史與當代的雜融狀況的話，那麼張永和喜歡反其道而行之，以發展出城市營建的不同圖景，從而能夠給城市居民提供更加多樣和有價值的空間、時間與生活經驗。因兼具西方與中國的雙重體驗，他得以批判性地觀察並分析當下中國的都市爆炸。他設計出嶄新的、關聯現實的方案，來改善城市生活與建築創作的狀況，而非簡單地引進"全球化"、"高科技"、"虛擬"這樣的陳詞濫調來替代傳統或官式風格。他將人類生存的真實的都市境況置於自己建築研究與實踐的中心，他的工作集中於探尋如何爭取更多的人性化空間，以及如何清晰地傳達出城市生活的興奮與喜悅，儘管他置身的是一個無法解決的高密度、快速和混亂的處境。

張永和確實一直對中國的傳統及當代文化感興趣，然而，他從中國文化中獲得的潛在影響並不是表面化和形式化的，類似很多人通過直接複製中國建築元素所表達出來的那樣。他深入理解了傳統中國建築中所蘊藏的轉化的可能性，以及豐富城市生活的特定規程，例如作為都市擴張的增生系統之組成部分的向心性單元——"院"（庭）的集群。他仔細觀察了中國城市複雜的、多層化的歷史與當代狀況，尤其是他今天居住的北京，並且證明了在城市更新過程中保存和優化這種複雜性的必要。在他及非常建築工作室的實踐中特別強調新建築與歷史地理以及美學遺產之間的關係。張永和曾深入地研究過四合院——中國城市及其建築傳統的基本型制，並將之吸納為他豐富的建築語言中的重要辭彙。四合院最重要的結構建立在一種互動式博弈或方格網路上，這種博弈或格網產生於不變的正方形與其自身形態的變化繁衍之間、以及院落的對內開敞和對外看上去帶有保護性的封閉之間，不一而足。這激發了他在設計和建造中去尋找靈活、動態、多樣、甚至是遊戲式的方法。

張永和也曾受到當代國際建築的極簡主義思潮的強烈影響。在極簡主義 "秩序化" 語言中暗含的運動與活力為他提供了另一個平臺,去探索秩序與非秩序、簡單與多樣、可見與不可見、光與影、透明與不透明⋯⋯之間辯證、動態的關係。其結果,是他的建築作品變得像生命體一樣,能夠兼收並蓄簡單的、嚴格的、秩序化的結構和複雜的、常變的、有趣的元素。他的建築是根據關於城市的不同的電影拍攝視角來規劃和建造的,為城市居民提供了城市漂流——"漫遊"的最強烈驚喜,同時拒絕著時下中國建築環境中彌漫的簡單功能主義的實用概念以及 "後現代" 過載的媚俗低劣。實際上,張為此製造出一個術語:"微觀都市主義"。

他提出了一個問題:"當城市對其空間失去控制時,它還能不能起到城市的作用?" 通常的回答——從城市發展商、政治和經濟的職能部門,到許多城市和建築專業人士——會選擇採用現代的 "推光鏟平" 策略來清除功能衰退的區域,代之以全新的城市建設,作為一勞永逸的解決辦法來確立新的社會秩序。相反的,張的解決辦法是強調對於現存城市生活現實的仔細觀察的必要性,植入一個結局開放的方案,以便能夠復興被窒息的城市生活和歷史。他通過提出以下問題開始其對於城市現實以及可能的介入方式的思考:"如果空間不再作為最重要的城市基本構造而工作,是否意味著時間這個曾經一度是提供秩序的第二角色,可能完全獨立地組織城市裡的事件?當城市變得臨時化,建築是否也會相應地轉化?" 實際上,他把城市看作是一個多層的、不斷變化的過程:一個臨時城市/淺城市或是運動中的城市。他的 "微觀都市主義" 方案很好地具象化了這樣的思考。

強調城市的多樣性和複雜性以及城市變化和再創造的永恆潛力，使張永和不僅僅是都市生活和歷史的豐富性的見證人，他同時也是一個設計者，努力將建築學變成一個高度靈活的工具，來反映現實生活和不斷變化的需要。以"速度"作為城市變造的主要元素，他設計了北京的席殊書屋，用自行車作為其基本結構。張正在設計的一項工程幫助城市居民把高密度的陋室寒舍改造成可以接受的空間。文革以來，許多北京傳統的獨戶四合院被分給幾十個家庭居住。結果為了創造日常生活所需的最低限空間，許多家庭進行了違章搭建。為了解決這樣的密度問題，有關部門幾乎系統地採取了全部推平的方法，拆掉傳統的街區，並把居民們安置到新的郊區城鎮裡去。

與如此之貴族化與對城市生活和歷史的破壞的做法相反，張通過實實在在的建築設計幫助居民們重建更加合理而高效的結構。並且他把這樣的介入看成是一個主動的行為。顯然這個方案中最有挑戰性的一方面是建築師參與搭建"違章"建築。這使"違章建築"的情況最終變得複雜，甚至在都市社會的組織結構中跨越了合法與非法的邊界。亞洲城市中日常生活的功能超越了傳統上關於城市秩序的一般概念，證明了合法與非法、秩序與非秩序系統的共存可以成為一個供建築師們探索的激動人心的領域。

與當代其他卓越的建築家一樣，張永和也認為生態問題具有無與倫比的重要性。這一點由於他生活在北京——世界上污染最嚴重的城市之一，而顯得特別有意義。他對生態方面的考慮再一次與他對特定城市文脈中地理歷史條件的興趣密切聯繫在一起。在2002年長城腳下二分宅的設計中，他嘗試用傳統夯土牆的建造方法來修築其主要牆體。土是當地最普通的材料。儘管出於生態和經濟的原因使用了地方的、傳統但卻出人意料的材料和技術，然而這座住宅卻展現了最為激進的原創形式與功能。根據張的說法，這個設計以多種方式來尊重傳統而不是模仿傳統。它試圖回答什麼是當代的中國建築。

其實他對生態的考慮更進一步指向了大尺度的城市方案。"竹化城市"（1999）可能是最全面的例子。在這個設計中，他嘗試引入竹子這種最具地方性的植物，作為一個中型規模的南方城市：吉安，重新規劃和更新的基本材料。竹子不僅被用做"生態正確"的材料，而且還成為連接當代建造技術和自然發展過程的新技術。活的、不斷生長的竹子與當代設計的大膽使用相結合，創造了一個都市基礎結構和建築的自足的可持續系統，使其永續迴圈並自我更新。最終這個設計提供了生態系和城市生活之間的共存。此外，這是一個明顯的烏托邦圖景，挑戰著建立在"推光鏟平"邏輯上的官方認可的城市政策。

張對於歷史、生態和社會狀況的關注隱含了批判的但最終是詩意的立場：為每個個人創造多樣的、豐富的、獨特的、好玩的空間，使他們即使在目前中國城市爆炸所代表的最集體化的社會變遷潮流中也能享受差異與自由。另一方面，這種詩意的取向將他推向建築和事業以外的視覺藝術領域的研究。他為藝術家蔡國強設計了泉州小當代美術館。這是一個高度創造性的設計，使用地方民居的建造技術和循環利用當地的廢舊建築材料，在自然中為藝術實驗和展覽提供空間。他還與藝術家和策展人緊密合作，做一些以展覽和頭腦風暴式的討論為目的的"非功能性"設計。他曾主持了"運動中的城市"和"2002光州雙年展"這樣的國際藝術事件的展覽設計。他還作為藝術家參與了其他的藝術事件，例如2000年的上海雙年展等。

1999年的APEX藝術展是他和非常建築在美國的首次個展。有意思的是這次展覽是由一對視覺藝術策展人夫婦侯瀚如和Eve1yne Jouanno策劃的，在一個通常用作視覺藝術展覽的空間裡舉辦。張做了一個標注出地點的裝置，使觀眾們能夠獲得對他的建築圖景與設計案直接而具象的經驗。這個裝置被當作一個"街戲"，在其中，北京的都市現實與張設計的位於北京的那些創造性的、但同時也有些"刺激"的設計案之間的對話與談判一幕幕展開。張永和總是會被劇場的意象迷住。對於他來說，建築就是創造劇場：一個真實生活的劇場，其中的人群取代了過分裝飾的舞臺設計。

他曾說過："顯然，一個過度設計的舞臺會削弱演員們的表演並且葬送一齣好戲。建築設計的領域中也有類似的現象。雖然聽起來有點兒難以置信，但是建築師們經常會（有意）忽視居住者的需要，爲毫無用處的"宏大設計"而沾沾自喜。有些建築師甚至企圖用建築元素取代人類的思考。他們所尋求的是一齣沒有演員的戲劇。"

他的"街戲"就作出了反對"沒有演員的戲劇"的聲明。這也是一個歡迎觀眾直接參與的友好空間，外面和裡面都是可供觀看的。前面房間裡的斜坡成爲投射街景的螢幕，模型的展示提供了一個"微觀城市的漫遊"空間。後面房間的窺視設備滿足了人們探詢城市生活"後院"的幻想。這個設計同時也是利用紐約的上下文關係對中國製造的"文本"（現實）的聰明有效的"轉譯"，給紐約的街道增添了非同尋常的視覺衝擊。

2002年的"六箱建築"是最近在哈佛設計學院舉辦的另一個個展。與在APEX畫廊採取的明確地點的策略形成對比的是，張把這個展覽轉化成了一系列攜帶型的箱子，裡面裝著非常建築2000年以來六個工程的模型。作爲精簡到極點的物體，它們不僅讓觀眾知曉了每一個設計，而且更加有趣，更加好玩兒。除了作爲建築模型的一般功能之外，它們自身也成爲特殊的建築。或者，人們可以把它們當作不停穿梭於地球上的運動著的城市事件來閱讀……

我願意引用張教授在一個叫做"剩餘空間"的作業中對於學生們的指導作爲結尾：

1　選擇一個因爲種種原因被"官方建築"忽略的空間，比如城市裡的一個小巷子。用盡可能多的視點來研究其效果、功能和發生在這個空間裡的事件。

2　把一個每天都發生的事件轉移到這個空間裡來。事件可以非常簡單，但條件是不能重覆原有的事件。組織這個空間，使事件能夠在這裡恰當的展開。空間變化的程度根據事件的選擇而定，也許你根本不用改變空間，你可能只是在它的邊界上用了某些建築學的介入方式。

# 建築師的兩種言說
## 柿子林會館的建築與超建築閱讀筆記

周榕 （北京 清華大學建築學院副教授）

# 1

建築師有兩種言說：建築的與超建築的。

建築的言說就是落成後的建築本體，而超建築的言說則包括一切泛建築範圍的言說，如建築師的相關言論、文本、圖紙、模型、藝術作品、以及其他形式的設計表述等等。

由於建築實踐的操作複雜性以及協同的困難，在純建築言說中，建築師的真實目的往往被遮蔽或歪曲；而建築周期的漫長又使建築言說相對於建築師的當下語境具有明顯的滯後性。針對純粹建築言說的建築評論因而暴露雙重的尷尬：批評物件從空間到時間都呈現出相當程度的資訊不完備性。爲此，建築評論的視野必須涵納建築師的建築與超建築言說。建築評論的基礎，是對建築師思想與實踐歷史的綜合閱讀，而不是對其某一言說環節的片斷聆聽。

建立在任何一種資訊不完備基礎上的單向度判斷都是危險的。

# 2

柿子林私人會館，位於北京西北郊昌平十三陵萬娘墳村的果園內。

園中柿樹成行排列，整齊繁茂。西、南兩面山陵環拱，北鄰村落，東向敞闊，遠蓄疏林一帶。園內引水爲池，成自然形貌。會館占地二百五十餘畝，建築面積四千八百平方米，設計於2001年6月開始，止於2003年6月，前後歷經四輪方案。建築2003年6月開工，2004年9月竣工，功能爲私家別墅兼招待親友的私人會館。

與非常建築的其他作品一樣，柿子林會館甫一落成，立刻被嗅覺靈敏的各種時尚、生活、以及泛藝術類媒體爭相刊載，對於其所代表的生活方式與社會現象的褒貶妒羨遽成一時話題。

對柿子林私人會館的社會批判與文化批判，不在本文討論的範圍之內。在建築批評與社會文化批判之間，超建築閱讀理應謹守一道不輕易逾越的邊界。

# 3

與張永和及非常建築以前的作品相比，柿子林會館出現了一些雖不明顯但信號意味強烈的偏離——對西方現代建築句法學原則的偏離：對句法邏輯一致性原則的偏離，對句法生成連貫性原則的偏離，以及對建築句法形式整體性原則的偏離。

建築句法學(Architectural Syntax)與建築語義學(Architectural Semantics)同是二十世紀六、七十年代在西方建築界流行一時的建築語言學的重要分支，它主要研究建築語言的句法邏輯，也就是建築形式的生成、發展、變化、以及相互之間配合的形式規律。建築句法學研究，把現代建築形式語言體系向前推進了一大步，由此確立起現代建築通行的句法規則，這個規則（或潛規則）包括：建築形式要素的理性、真實性與純粹性原則；句法邏輯的嚴密性與統一性原則；句法演繹的連貫性與一致性原則；整體建築形式的句法生成性原則，等等。

眾所周知，早期的經典現代主義者們由於更關心"宏大敘事"，而對現代建築的形式語言多採取一種漫不經心的態度，以及籠而統之的策略。現代建築因此被後繼者們簡單化地歸結為"國際樣式"風格特徵與"形隨機能"的形式原則。這樣粗疏的形式價值取向，使現代建築的形式之路越走越窄。

二十世紀六、七十年代之交，現代主義建築發展同時遭遇了意義危機與形式危機。處理前一個危機是建築語義學研究的任務，而應對後一個危機則屬建築句法學研究的範疇。八十年代改革開放之後，中國建築界很快注意到了現代建築的第一個危機，並隨之引進當代建築語義學理論，形成了建築符號學研究的空前熱潮；而對於現代建築的第二個危機及西方現代建築句法學研究的成果，卻長期沒有形成重視。其直接後果，是中國當代建築形式普遍粗糙疏陋，不講句法規則，難以形成與西方現代建築體系的有效對話。

張永和赴美求學的八十年代初，正值建築句法學理論開始被西方建築院校廣泛接納，並被體系化為現代建築學與現代建築教育的思想正統之時。建築句法學理論與實踐對張的影響之深，在他以後二十多年的建築生涯中，將持續不斷地通過各種形式頑強表現出來。

《非常建築》一書，可以被看作是建築句法學的中國教程，它既是張永和在美十五年建築句法學學習與研究的思想總結，又是將現代建築句法學原則應用於中國現實的准實戰操練。研讀此書，有助於中國建築師瞭解現代建築句法學的精要，同時，也可學習一種具有現實可能性的操作範式。

在這本書中，張永和清晰地表達出了他對於現代建築的形式主義立場。這個立場，遠承三十年代的特拉尼(Giuseppe Terragni)，中接四、五十年代的柯比意，近續七十年代的艾森曼，追求現代建築語言句法的理性、純粹性、一致性、完整性、縝密性、連貫性、以及邏輯性。

現代建築的這種形式主義，不同於二十年代柯比意強調現代建築語素特徵的“語素形式主義”，而是強調其句法特徵的“句法形式主義”。經此轉換，就完成了現代建築從注重最終形式結果的表像形式主義，到注重形式生成因果鏈結的深層形式主義的轉變。這一從“倒果爲因”向“種因而果”的形式逆轉，把現代建築從“形式終點”解救回“形式起點”，從而極大地拓展了現代建築可能的形式疆域，同時也保證了現代建築自身“形式血緣”的正統性與連續性。

建築句法學，回答了在直觀的功能主義基礎上，建築形式如何發展的問題，也就是形式在追隨功能之後，自身進一步向何處去的疑問：解開了現代建築從明確的功能起點到明確的風格終點這樣一個封閉迴圈的死結，辟鑿出現代建築開放式發展的形式通途，爲現代建築注入了強勁的生命活力。

1 時至今日，中國建築界對於現代建築的形式主義探索，還沒有足夠的正確認識，而建築句法學也長期成為中國現代建築理論研究的盲區。

2 張永和自己並未進行過完整的建築句法學理論表述，但他成功地通過自己的建築實踐在中國建築界建立起一種所謂“現代的形式趣味”，並影響了相當數量的中青年建築師及建築學生。這種形式趣味實質上就是現代建築的句法學原則。如今建築語義學的喧囂在中國漸成絕響，而自覺採納建築句法學原則或向“現代形式趣味”靠攏的建築趨勢卻愈益明顯，對此，張永和及非常建築的多年垂範功莫大焉。

3 值得警惕的是，出於長期形成的認識框架的偏差，許多中國建築師往往把張永和的建築句法學誤讀為“構圖”，而將其概念思辨誤讀為“立意”。其實，這兩組概念之間有著重大的區別：“構圖”所依據的，是感性的審美原則，而建築句法學所依據的，是理性的邏輯原則；“立意”指向的，是形式終點，而張永和式的概念思辨，是起點性與過程性的，而不是對於形式終點的預設。

作爲西方現代建築句法學的正宗傳人，張永和的貢獻主要有兩點：

一是把現代建築句法學實踐帶入中國，並以“形式趣味”的方式影響了一大批中青年建築師的設計走向。

二是在建築實踐中，爲單純依附於功能的建築句法學演繹規定了富有挑戰性和趣味性的形式起點與概念支點，並巧妙地令純粹的建築句法演繹與雜駁的概念思辨演繹合二爲一，同步同構，把原本枯燥的建築句法的理性化邏輯推演置換爲一場讓人眼花撩亂的思維表演，由此賦予了最終的形式結果以某種具有複雜性的思想意味。　唯其如此，張的建築句法學實踐，才長期被淹沒在人們對他設計中概念性思辨的過度注意之下，張永和對於中國現代建築發展眞正巨大的貢獻反而被忽略。

回顧張永和及非常建築在九十年代的設計作品，無論是席殊書屋、晨興數學所、水晶石公司辦公室、還是山語間別墅，都顯露出嚴格的依從現代建築句法學原則的特徵。這個特徵，在非常建築近幾年的作品中，雖因對建構的重視而略有沖淡，但對現代建築句法學原則的謹守仍是一以貫之，未嘗廢離。

故此，本節開頭提到的柿子林會館設計中所發生的種種偏離才特別耐人尋味。

# 4

柿子林私人會館中，對現代建築句法學原則的擾動來自三股勢力：柿子樹、取景器、拓撲屋頂。

基地上的柿子樹據說已有近百年的歷史，來自業主方的意見是一棵也不能擅動，因此在建築中必須為原有柿子樹讓出空間。這些散佈在建築中圍繞柿子樹而生的內天井，打破了建築句法封閉性的圓融狀態，破壞了其完整性與縝密性，迫使建築單純的句法邏輯向多樣化現實開放。

如果說柿子樹對建築句法原則的干擾尚屬被動的話，那麼由八字形斜牆與傾斜屋面共同構成的九個"取景器－房間"，則是被建築師故意插入建築原有的直角座標體系的。在實境體驗中，由於"取景器"相對於觀察者過於巨大而基本失效，感受最明顯的，反倒是斜牆系統對於建立在直角坐標體系上的統一性建築句法邏輯的偶然性擾動。這些擾動，為結構精巧縝密的建築內部空間，打開了接納他者的縫隙，也使建築句法的一致性與連貫性一再中斷，造成了觀者片斷性的空間經驗，而這些不同特質的空間經驗的疊合，拼貼出這幢建築的複雜與矛盾。

拓撲屋頂，堪稱是張永和所有建築實踐中，最背離自己一貫性建築信仰的一次"出軌"：即用終點性的形式預設代替本應根據建築句法演繹而得到的形式結果。整個屋頂系統，基本是按照一種構擬中國傳統建築群屋面形式的整體連續性拓撲形式設計的，既與建築的功能要求脫鉤，又與其所覆蓋空間的句法邏輯無關。建築的屋頂系統與整體建築句法邏輯的分裂，形成了多處室內空間的"奇觀"，比如主臥室前走廊頂部被V字型傾斜屋頂突然插入，既讓人感到反邏輯的意外，又煽動起大多數觀者莫名的興奮。

迄今為止，柿子林會館是張永和及非常建築所有作品中，最富於自由感、也是最令人感到複雜性愉悅的一個。這種自由感與複雜性，根本上來源於建築句法的嚴密演繹時時被來自建築系統內外的異質元素擾動、穿插而產生的變形與斷裂。對現代建築句法學原則的這些主動的目的性偏離，指示出張永和建築創作的原點近年來發生了悄然漂移。

# 5

4 例如，在〈浮出空間〉（《建築師》105期）一文中，張永和有如下表述："也許，傳統意義上的設計一詞過多地暗示了一種建築師並不具有的主動性，本應被組織的概念取代。組織更多體現了條件/限制的作用。除了空間需要組織，材料也需要組織以圍合空間，等等。又也許，建築的實踐活動可以用對資源的組織來概括：對某一工程的業主、規劃、基地、使用、造價、規範、時間等因素作為建築資源進行組合與編織、分配和搭接。甚至，建築的審美經驗也可被認為是對資訊，包括政治經濟文化多個方面的組織。"

從九十年代末期開始，張永和的文化觀與建築觀經歷了從現代主義到後現代主義的蛻變。從張本人的多種言論與文本性表述，以及他近年來的建築實踐中，我們可以發現，張永和的建築抱負已經從早年作為現代主義者時對形式烏托邦單一因果關係的演繹迷戀，上升為試圖駕馭建築資源組織中多重因果力量的卓爾雄心[4]。在張的建築框架中，開始允許多重建築目的的交叉與並行，反映在建築形式操作上，就形成了對其既往遵循不悖的建築句法學原則的主動偏離。

柿子林私人會館，可以看作是張永和建築觀念轉型期的蟬蛻。由於尚未建立起自己新的建築句法規則，他日益開放的後現代主義建築態度與習慣性的現代主義建築句法之間，經常會處於一種自相矛盾的緊張狀態，這種緊張狀態表現在建築空間中，時而令人興奮，時而又令人迷惑。我們看到，在這幢建築中，清晰與曖昧常常是並置、硬接的，多種目的在同時發言，因而產生了聲音的衍射現象，導致建築師的真實意圖難以明確地傳達。

以石夾混凝土承重牆爲例：

在這個牆體系中，石材本身不起任何結構作用，反而增加了牆體結構的負荷，實際上就是混凝土牆的表皮貼面。然而這個貼面處理，卻用了300MM厚的石料，因此提高了石材加工與現場施工的難度，還需要在混凝土牆上預留矩陣狀的拉筋來進行錨固。這些努力，無非是希望觀者對這些裝飾性的立面產生一種純石牆的錯覺，歸根結底，還是建築師多年追求真實感與純粹性的建築句法學慣性在起作用，這個態度，是現代主義的，而不是後現代主義的。

因排列整齊的矩陣狀拉筋的限制，採自當地的花崗岩只能被加工成較爲規整的、尺寸相對固定的"砌塊"來使用。本來，使用當地石材的目的，據建築師自己表述，是試圖"建立起建築的當代性與地域性"，這與張永和近年來的"建造"實驗是一脈相承的。但是，由於對天然石料準工業化的處理方式，建築師預期中的"地方性"特徵以及具象的活力均被壓抑，昂貴的石牆淪爲一種抽象的概念性裝飾，而失去其應有的表現力。原本，建築師完全可以採用當地原生的壘石砌牆的民間工藝，但卻無意中仍受到建築句法學慣性的驅策。

爲了改善砌塊石牆完工後的呆板狀態，建築師最後採用凸起的砌縫對其進行調整，利用一些"畫"上去的砌縫改變原有砌縫過於規整的比例。這種典型的後現代裝飾手法又與石牆原初類比真實性的現代建築句法自相矛盾，如是，建築師面對兩套不同的建築句法而左右遊移的心態，被曖昧而清楚地記錄在這些石牆面上。

其他不夠成功的建造嘗試還包括拓撲屋面的排瓦處理，由於屋面的隨意性轉折，造成了不同向度排佈的瓦板之間交接上的困難，這種建構粗糙的痕跡，在不少天溝和簷口處都可以輕易發現。

類似這些建築句法關係的矛盾、緊張與粗率，抵消了一部分這幢建築應該帶給我們的自由喜悅。

也許，複雜的原因已經不能再藉由簡單句法的慣性抵達它們各自的結果。
也許，多重因果走向的糾纏已經不能再被限制在經典建築句法的框架之內。
也許建築句法的消解應該開始，並且可能已經開始。

5 張永和與張路峰在《向工業建築學習》一文中提出的"基本建築"概念，就是這一追求普適性抽象性純粹建築的思想總結。所謂"基本建築"，就是通過切斷建築與任何其他非建築因素的關聯，甚至剝離建築自身的邊緣關注（如風格），從而顯現出的純化的建築內核，也就是"純建築"。在他們看來，"純建築＝自治建築＋獨立建築"："建築學的邊緣很模糊，與其他許多學科（如社會學研究、商業管理）存在著重疊關係。而這種現象常常導致了建築學基本問題的迷失。因此我國的汪坦教授和美國的肯尼斯·弗蘭姆普敦教授都曾提出過建築獨立或自治建築的概念。獲得建築的獨立性，但需要限定建築的基本問題或建築自身特有的問題。"對比上一條《浮出空間》的引文，可以看出張永和建築思想的巨大變化。

# 6

十一年前，張永和是代表著一種對中國主流建築思想的批判性力量登上中國當代建築
舞臺的，十一年後，時代條件與批判物件的狀態都產生了極大的變化，以張永和爲代
表的中國前衛建築師群體也開始從邊緣走向中心，從中國當代建築的非主流逐漸融入
主流。因此，如何把初始時的批判性力量成功地轉化爲一種建設性力量，並保持持續
性的探索與創新精神，是這批建築師所面臨的挑戰。

柿子林會館，可以看作是張永和針對這個挑戰做出的一次回應。

歸國初始的張永和，追求的是一種普適性的純粹現代建築，這種純粹現代建築是
抽離社會、政治、經濟、文化等一切特殊性附著物、放之四海而皆準的、超時空
的抽象形式烏托邦。這也是西方現代建築句法學原則中所暗含的價值預設。《非常
建築》一書所登載的概念設計方案，以及張永和在九十年代的絕大多數建築實踐作
品，都具備這樣一種普適而抽象的純粹建築特徵。即使他後來所關注的建造問題，
也是一種普遍性的抽象建造，而自覺地剝離了幾乎所有其他的特殊性因素 。

作爲一個從本科開始就接受正統的西方現代建築教育，並持
續在西方現代建築體系中浸淫了十五年的建築師，張永和所
擁有的建築思想資源和操持的建築形式語言幾乎百分之百來
源於西方現代傳統。他當年所謂的"純建築"觀，在這個發
展極不均衡的全球化世界中，注定是西方中心論與現代中心
論的，儘管這兩個中心論在張的各種表述中是如此隱蔽。

隨著在中國從事實踐時間的增長，張永和開始注意從本土資
源中汲取建築思想的養料。張永和中國意識的覺醒從文字表
述上始見於發表在《讀書》雜誌1997年第10期上的《墜入空
間——尋找不可畫建築》一文，在該文中，張思考自己從蘇
州園林、中國傳統與現代城市以及民居中獲取的空間經驗，
並試探性提出了是否可能以"對中國空間的研究"爲契機
"重新定義中國建築"的問題。

1998年完成的懷柔"山語間"別墅設計，張永和開始嘗試用
中國山水長卷的形式來支援其立面設計，但這個"中國意"
淺嘗輒止，淪爲概念的佐料。2002年的"二分宅"設計，標
誌著張永和"重新定義中國建築"的實質性突破，這幢建築
所採用的夯土牆技術，表明張的建造觀開始從超時空的普遍
性建造落實爲本土的特殊性建造。正是"二分宅"，爲張永
和奠定了其國際性建築師的地位，也讓"中國製造"的現代
建築開始爲世界所矚目。

在柿子林會館設計中，張永和重新限定中國現代建築的主動性意圖極爲明顯，其中國意識的自覺性也頗爲強烈。

結合張永和《墜入空間》與《物體城市》 等文閱讀，張對於中西建築的空間特徵有一個基本的對比判斷：西方建築是物體的、空間外擴的、可畫的、符合透視規律的；而中國建築是非物體的、空間吸納包圍的、不可畫的、破壞透視規律的。按照後者的幾條要素去觀察柿子林會館，能夠更加清晰地發現建築師的匠心所在。

6 見《今日先鋒》特輯《溢出的都市》，廣西師範大學出版社，2004年9月版，P56。

# 7

柿子林會館很難被當作一個物體。

且不說那些茂密的柿子樹如何遮蔽了對於建築的觀察，就是在視線不受阻礙的情況下，也歸納不出這幢建築的整體外部形象。建築的四個立面沒有太多的統一感，甚至沒有一個立面本身是完整而連續的。整個建築似群非群，似體非體，不服從慣常意義上的任何建築外部形式規律，就那麼鬆散地放置在林中，缺少緻密的外部形式秩序。

柿子林的魅力在於內部。

在於內部“重重疊疊的空間”，以及在“重重疊疊的空間”中“行行重行行”的遊園經驗。

“圍”與“繞”，是柿子林會館迥異於非常建築此前所有作品的兩大關鍵字。

在建築中部的公共部分，建築師設置了一個圍繞竹林的平面小環線；在主人起居和臥室、書房區域，設置了從一樓到二樓的垂直迴圈路線；而在建築最北側的客居部分，則設置了上下兩層連通的立體化平面環線；在大環線中又由於插入保留柿樹的小天井，而產生了另外的小環線。這些套疊著的重重環線，提供了建築中絕無重複並令人產生幾乎無限多種組合錯覺的迴圈可能。它不是單向度的建築，也不是多向度的建築，而是徹底溶化了向度的建築。在這層層環繞中，觀者徹底迷失了方位感，被吸進建築空間的深處。在空間的行走中，經驗消解了經驗，經驗覆蓋了經驗，經驗改寫了經驗。

如果套用《墜入空間》中的原文，只消把其中的"留園"改爲"柿子林"，就可以準確描述這幢建築給予觀者的感覺："不確定柿子林是否絕對不可畫。至少它不能被單一的圖像描述或定義。柿子林的建築如果被形容爲空間性的，便忽視了空間被認知的方法：運動。也許說柿子林是經驗的建築更爲確切。時空的經驗。"

在這樣的空間中，平面圖是失效的，透視法則也是失效的。

從顛覆透視法則的角度理解建築中的九個"取景器"，別有一番意味。

由於取景器在建築空間中的廣泛存在，幾乎在建築內部的任何地點，都阻撓著觀者建立一點透視的企圖。這些取景器的斜牆，不僅屢屢偏轉了透視的消點，更把觀者的視點，一次又一次從建築的內部引向外部，因此觀看總是處於動態之中，靜態、完美的古典透視無從實現。在實境體驗中，取景器作爲一個獨立而誇張的單向度透視裝置的設想固然失敗，但這些斜牆作爲相互呼應勾連的整體性反透視體系，效果卻非常成功。

至此，我們能否小心翼翼地提出一個假設：柿子林會館，已經爲現代建築的中國性問題，創造出了一個新的空間範型？

# 8

顯然，在柿子林會館中，張永和重新限定中國現代建築的熱望，讓他不能止步於上述略顯隱晦的表達。他還要再加一道保險，這就是拓撲屋面的應用。

拓撲者，取整體而連續的表面之意。

而中國傳統建築群的屋頂，雖然是整體的，但卻是非連續的。

這是問題的關鍵所在。

屋頂問題，是中國建築現代化之路上最爲敏感的形式問題。在中國建築師幾十年來的現代化實踐中，中國式的大屋頂，或作爲形似神似式的類比，或作爲文化符號的變形拼貼，都未能跳出古典形式的句法原則。而這種中國古典句法，與西方現代建築句法，是很難摻雜在一起進行建築形式敘事的。僅僅盯住大屋頂在建築語義學層面的表意功能，而缺乏在建築句法學層面予以改造的自覺，是大多數中國現代建築在屋頂問題上失敗的根源。

張永和在柿子林會館設計中，一開始就根本沒有打算使用中國古典建築句法，他試圖採用拓撲屋面這種現代建築句法，去構造與中國古典屋頂形式相彷彿的同構形式。雖然這個拓撲屋面系統與建築的功能系統及內部空間系統並不對位元，但由於採用了同一類的建築句法，屋頂與整體建築之間仍然是匹配的。或許，張永和已經敏銳地認識到，中國古典建築中按型制規範形成的大屋頂，同樣也是與建築內部的功能空間不對位的，其更重要的功能是一種形式句法，而這種形式句法完全可能用另一種新的形式句法來置換。

對於柿子林會館拓撲屋頂的成敗，很難馬上做出一個判斷。一方面，作爲一套新的建築形式句法，它確有一些考慮不周的生疏之處；另一方面，這套屋頂系統的加入，令建築的文化定位從在現代建築參照系中的單一定位，轉換爲在普遍性的現代建築參照系與特殊性的地區建築參照系中的雙重定位，這個轉換，大大增加了對於柿子林會館進行文化解讀的豐富性。

將自己自覺地納入現代建築和中國建築兩套參照系中進行建築思考與實踐，是張永和在柿子林會館設計中完成的定位轉換，也是每一個中國當代建築師必須完成的自我定位的身份轉換：既是現代建築師，同時又是中國建築師，兩個身份不可或缺。

這既是中國當代建築師的文化宿命，也是文化使命。

# 9

至此，對於柿子林會館的建築與超建築閱讀，應該告一段落。

其實，建築評論的意義，絕不是僅僅指向某個建築的，也不是指向某個建築師的，而是指向每一個評論者自身的，也是指向每一個觀者的。

在閱讀了建築的種種成功與失敗之後，在解析了建築師思想觀念的流轉更變之後，一些題外之題更值得我們深思。

作為中國新一代建築師的領軍人物，張永和在十年篳路藍縷的探索中，歷經了從基本建築到複雜建築，從純粹建築到綜合建築，從抽象建築到具體建築，從普適性建築到特殊性建築的思想嬗變，其自身也完成了從邊緣到中心、從非主流到主流、從批判者到建設者的身份轉換。然而，在所有的轉變中，最令人矚目的，可能是他從一個國際化的純現代主義建築師，向一個具有高度自覺的中國意識的批判地區主義建築師的立場轉化。從中國到美國，從美國再到中國，張永和的經歷昭示人們：一個中國當代建築師，不管從哪裡出發，最終還是要走回探尋中國建築的現代化之路上來。

中國建築的現代化之路上，有兩個繞不過去的命題："中國建築的現代性"命題與"現代建築的中國性"命題。這兩個命題，是事關中國建築現代化方向的重要命題，分別指向兩條不同的道路。而中國建築界多少年來，屢屢將這兩個命題混為一談。

實質上，"中國建築的現代性"命題可以被看作是一個時間命題，而"現代建築的中國性"命題則可視為是一個空間命題。前者由傳統切入現代，而後者由現代切入地域傳統。兩者表像可能有類似之處，但基礎卻迥然不同。

數十年來，幾代中國建築師們所走的道路基本是前一條路，即用古典建築的句法來構造現代性的語言；而張永和由於因緣際會，無意間走上了第二條道路——用現代建築句法去構造中國的語言。這兩條道路本無對錯高下之分，也不存在水火不容的關係，只不過第一條道路的實踐者已經很多，道路也顯得有些擁擠，而第二條道路的實踐才剛剛起步，也許具有更加廣闊的可能。

# 北京席殊書屋

**Xishu Bookstore**
Beijing

北京
## 1996

書店的基地是五○年代建成的某辦公建築東側一個現有空間，臨街，原本是一個南北貫通的過道。辦公樓的西側，與書店基地相對稱的位置上有一個相同的空間，現在仍爲通道，各種車輛及行人過往頻繁，同時也停了不少自行車。通過西側空間的現狀，看到的正是東側空間的歷史。書店的設計將這一觀察轉化爲基地過去的使用——交通，與不久的將來要發生的功能——書店，二者重疊在一起。其產物是自行車與書架拼貼雜交而成的"書車"。書車雖不能行進但可原地轉動，以支撐夾層的圓截面鋼柱爲轉軸。書車的運動是街上車流在書店中的延續，它們賦予書店一定的城市性。書車爲背靠背的雙層書架，與原建築的牆體厚度相同，因此它們又是活動的書牆，書店工作人員可以任意轉動它們變換其位置以獲得店內空間的變化。書車/牆帶來的空間靈活性模糊了基地狹小的侷限。夾層作爲一個獨立的鋼框架結構的建築，插入原有的承重牆結構的建築，實際提高了建築密度。屋中屋的概念也再一次將室內問題轉化爲城市問題。獨立的夾層結構是個微型建築，也可以看做是個巨型車輛。如果說滿停的自行車顯現了西側通道的交通性質，停泊在東側基地內的這輛"車"，恰恰在將空間轉化爲書店的同時也把它還原爲通道。

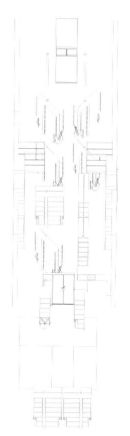

一樓空間軸測圖

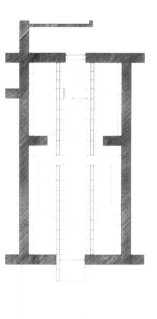

二樓平面圖

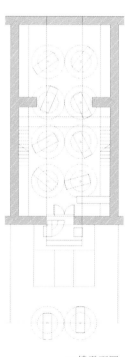

一樓平面圖

1 2 3 4 5 m

# 顛倒辦公室
## 康明斯亞洲總部

**Upside-Down Office**
Cummings Asia Headquarters Office
Beijing

北京
**1997**

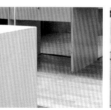

辦公者似乎總是需要辦公空間的兩重性：一個是私密的，干擾儘量小；另一個是開敞的，便於溝通與合作。傳統的矮隔牆（cubicle）試圖滿足這雙重性的辦公空間。但為前者付出的代價是失去了自然光和景觀；而對後者而言，雖然是開敞空間，但只有當人離開了自己的隔間起身去飲水或洗手間時才能體驗。且矮隔間的私密性是就視覺而言，而現代辦公真正需要的是聲音的私密。針對如上分析，一個"顛倒辦公室"的可能性出現了：在康明斯亞洲總部設計中，用平板玻璃製作的上部半透明、下部透明的隔斷，形成視覺上圍下通的辦公環境。在顛倒辦公室內，人坐下來時房間便消失了，辦公者感覺在與全公司一起工作，但沒有聲音的干擾，通過透明的玻璃，又可享受自然光、景觀和開敞空間。一旦起身，人們又重新獲得了視覺上的私密。如果建築的基本質量是由平面關係決定的，康明斯所在的樓層具有2.6米的淨高中同時存在著兩個1.3米的建築。這說明建築垂直的密度也有增加的可能。

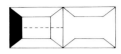
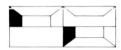
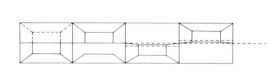

分析圖

剖面圖

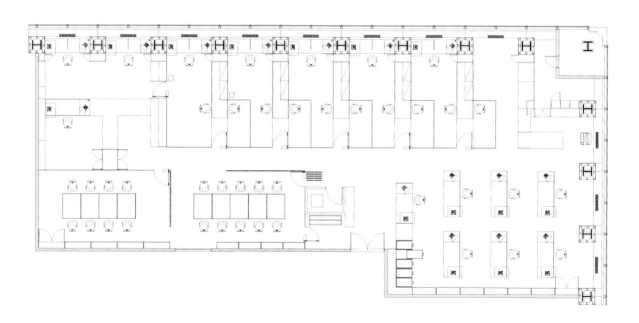

平面圖

0  1  2  3  4  5 m

# 晨興數學中心
## 中國科學院

**Morningside Center of Mathematics**
Chinese Academy of Sciences
Beijing

北京
# 1998

這棟面積不過2400平方公尺的建築嘗試著體驗都市密度的可能性。在本案中，密度被視爲生活中的正面因素，在緊鄰另一棟建築旁，侷限在300平方公尺基地上的七層樓晨興數學中心，使用功能包括了數學家們除了進餐之外的全部日常活動，從辦公、研究到會議、住宿。狹小的基地又決定了它只可能是一幢建築物，而不是一組。將複雜的功能放入單幢建築物並不構成一個問題。問題在於足不出戶的數學家們是否因此失去了經驗城市的機會？或：既然數學家們不到城市中去，是否可能把城市帶到數學中心裡來？爲了獲得單體建築內部的城市性，數學中心被化解成一組微型塔樓，各有不同的功能，各有不同的建築質量。把從一間到另一間房間的經驗轉化爲從一幢到另一幢建築的經驗。

**空間組織**：將所有空間分爲垂直的五組。
一、個人研究；
二、住宿；
三、公共空間，包括講演廳、休息室、圖書館、研討室；
四、半公共空間，包括中心負責人辦公研究、多人研討、電腦房等；
五、核心，包括電梯、樓梯、廁所等。

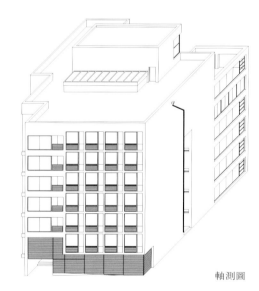

軸測圖

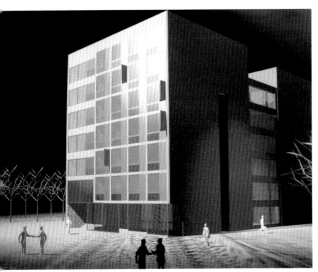

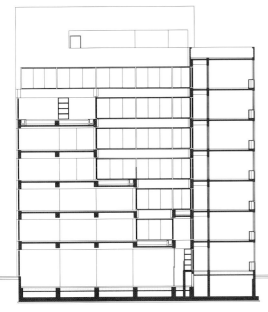

剖面圖

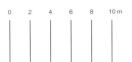

**內部空間關係：**

個人研究與核心之間：走廊；

個人研究與公共之間：庭院；

半公共與核心之間：廊橋；

住宿與核心之間：廊橋；

公共與核心：玻璃牆。

其他空間關係均爲間接，如從住宿到半公共需過二座廊橋。

**單個空間質量/室內外空間關係：**

個人研究與住宿：單面透明玻璃；

半公共：雙面半透明玻璃；

公共：雙面透明玻璃；

核心：不透明玻璃。

玻璃牆爲間距等同於混凝土剪力牆厚度（20公分）的雙層玻璃，外側一層透明，內側一層半透明。它透光而不透視線，中間的空氣層改善了傳統帷幕牆的保溫隔熱性能。個人研究室及宿舍的窗則一分爲三：固定的爲了光與景的透明玻璃窗；可開啓的通風用不透明鋁板窗；以及固定的放置空調設備的鋁百葉窗。以上是一系列對房屋構件進行分析與設計的嘗試的兩個例子。它與空間的組織或平行或重疊。如此努力反映了一種態度：即特殊的建築經驗也是由基本的房屋元素構成的。

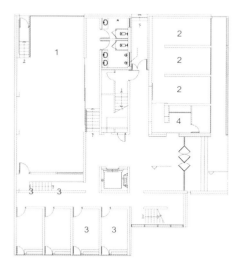

1. 學術報告廳
2. 行政文書
3. 研究室
4. 監控值班室
5. 交流/休息室
6. 研究室/公寓

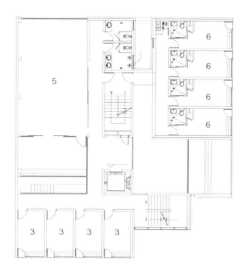

一樓平面圖

二樓平面圖

0　2　4　6　8　10 m

# 山語間

**Villa Shan Yu Jian (Mountain Dialogue Space)**
Beijing

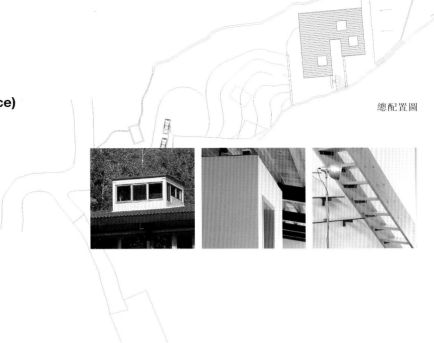

北京
# 1998

被業主命名為山語間週末別墅座落在北京遠郊懷柔山谷中。基地是山腳下廢棄的梯田。作為週末住宅，到這裡來與友人相聚，共享山林野趣，需要一個開敞的生活空間。於是在高差各為一米的二級現有的梯田臺地上，用一個順著地勢傾斜的單坡屋頂限定出的正是這樣一個空間。它由鋼梁柱為結構；原有梯田的擋土石牆被重砌為這個空間為數不多的幾堵圍護牆。空間其他的介面均是用透明玻璃構成，使周圍山色一覽無遺。這是別墅的主要生活空間，它的開敞性反映的是人到山中來與自然接近的願望。建築也因此盡可能地不打擾基地，而是依山就勢地伏在基地上。屋頂在概念上又形成被改造為梯田的山坡寫意的重建。

住宅的功能通常是由一系列大小不同的空間實現的。在山語間中，開敞的大空間並未被分割成小空間，而是被小空間分割。因為小空間大都以厚牆的形式出現，但高度不到大空間的天花，不破壞大空間的完整。厚牆劃分空間的同時，自身內又容納了廁浴、儲藏、壁爐等用途。厚牆又是屋中之屋。屋中屋的概念通過屋面上突出來的三個閣樓被進一步延伸了。三個閣樓分別座落在不同的厚牆上，提供人與風景獨處的機會，而不僅僅是作為臥室，像三個微型住宅座落在單坡大屋頂/人造山坡之上。

建築在山語間中獲得了一個特定而明確的功能：即建立人和自然景觀之間的關係，具體而言是人與中國山水之間的關係。山語間中水平長窗的設計正是試圖以國畫的構圖強調出窗外景色的中國性。

0  5  10  15  20  25m

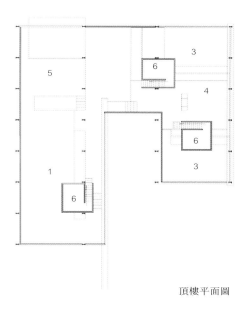

頂樓平面圖

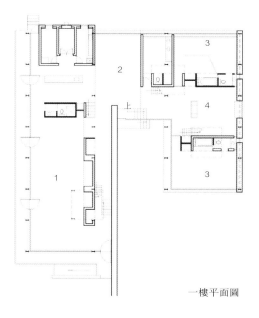

一樓平面圖

1. 客廳
2. 餐廳
3. 主臥
4. 起居室
5. 廚房
6. 閣樓

0　2　4　6　8　10 m

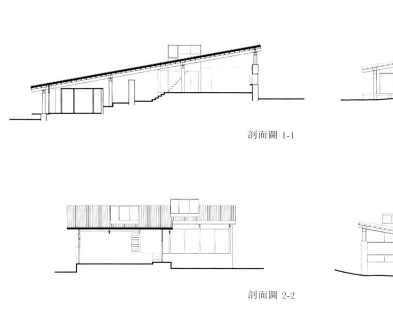

剖面圖 1-1

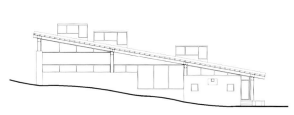

南向立面圖

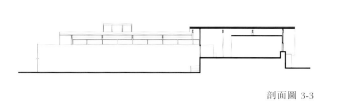

剖面圖 2-2

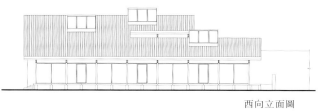

北向立面圖

剖面圖 3-3

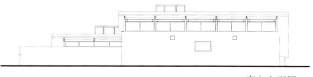

西向立面圖

東向立面圖

0   2   4   6   8   10 m

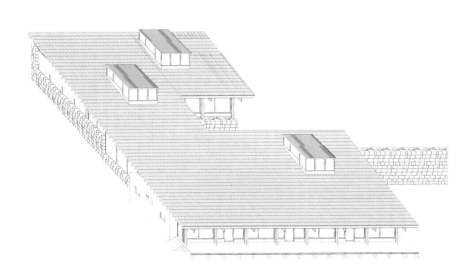

軸測圖

# 水晶石電腦圖像公司辦公室

**Crystal Imaging Office**
Beijing

北京
**1999**

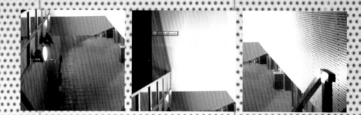

以提供電腦影像服務的水晶石公司租下了一棟剛竣工的多層板式住宅公寓大樓的一樓作爲辦公室。作爲新建物的改造項目，設計上我們不強調一個全新的、改頭換面的室內設計，相反的，將住宅樓從城市街道後退以獲得一定私密性；首層的功能轉化爲相對公共的辦公空間後，應將首層空間重新與城市空間連接起來。因此這項工作的性質其實可以視爲是城市設計。

在原有跨越街與樓之間下沈空間的入口橋上建築一系列會議室，把首層空間重新拉回到人行道邊。並將每間會議室與街道垂直的兩個界面設計爲透明的，使相鄰的比較安靜的街道上的行人有機會像看櫥窗一樣觀察到會議室內部的活動，但又不易形成對辦公的干擾。櫥窗式的會議室的商業性也建立起公共性，使新的辦公室在外部區別於原住宅建築。此外，爲了進一步確立首層辦公與上層居住建築的差異，在改造過的辦公室的原牆面外增加了一層打孔鋁合金板爲材料的表皮。這層表皮也將原有的牆上元素，如窗、空調等，統一在其半透明性之後。

平面圖

0 1 2 3 4 5 m

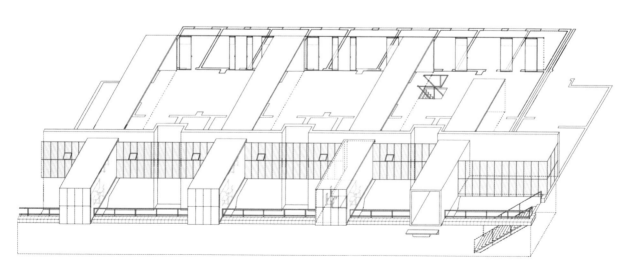

軸測圖

0 1 2 3 4 5 m

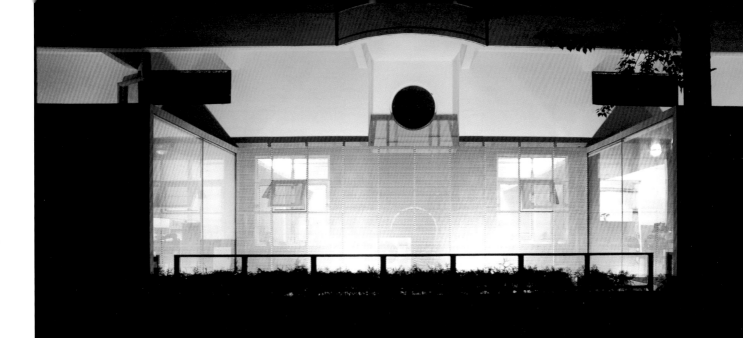

# 北京大學（青島）國際會議中心

**Beijing University (Qingdao) International Conference Center**
Qingdao

青島
## 2001

北京大學（青島）國際會議中心位於濱海的青島市石老人風景區。基地是一個陡坡，北側的香港路與南端的海邊存在著20多米的落差。學術中心的建築參與到這個特殊的地理環境中，形成其中的一個過渡元素。換言之，建築在此處不是佔據場地的對立於基地的物體，而是地形景觀的一個組成部分。從人的經驗的角度，這棟建築構成一個過程，即下到海邊去的時空經驗。建築的形態因此是線性的，它的空間由一系列在不同標高上的既有室內又有室外的平臺與樓梯組成。這個空間系列結束在主會議室外向大海挑出的平臺。五個原有別墅被改造成中心的客房，並可觀賞到海景。客人從客房可直接來到學術中心的屋面，並逐層向下一直延伸到海邊，形成地形變化中的又一個層次。

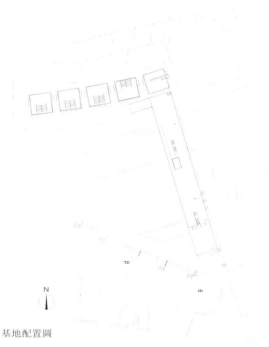

N

基地配置圖

0  20  40  60  80  100 m

3.5 公尺高度的平面圖

1. 休息室
2. 會議室
3. 圖書室
4. 多功能空間
5. 大廳
6. 餐廳
7. 入口處
8. 辦公室

2.3 公尺高度的平面圖

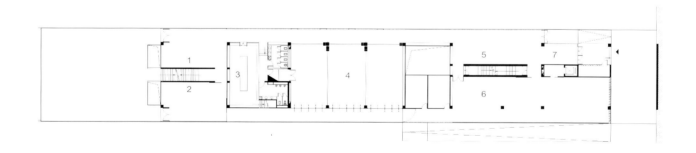

地面層高度平面圖

0 2 4 6 8 10m

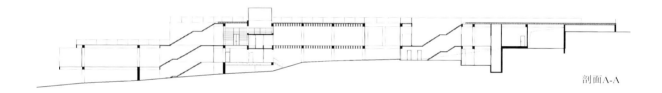

剖面A-A

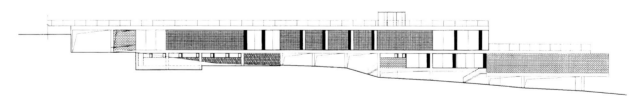

西向立面圖

東向立面圖

0 2 4 6 8 10m

# 重慶西南生物工程產業化中間試驗基地

**Southwest Bio-Tech Intermediate Test Base**
Chongqing

重慶

# 2001

重慶西南生物工程產業化中間試驗基地建在重慶長江南岸高新科技開發區內，除了實驗室外，它包括了研究、辦公、展覽、生活等設施與空間。基地則是臨長江並平行於江面不大的一塊帶狀地帶。基地的緊湊和功能的複雜促成了一棟單一的線性建築，它同時又是由若干相對獨立的部分組成。兩道平行的混凝土砌塊牆和牆上孔洞及縫隙的變化體現了建築的整體與局部之間的辨證關係。就建築的內部而言，每個不同的功能分區具有不同的空間組織形式，例如頂層研究室的庭院和辦公區域的越層。基地雖然臨江，但因基地本身已被平整，再加上城市退紅線的要求，中試基地的建築無法形成重慶傳統的山地特性。為了緩和這個矛盾，在建築中設計了一系列的"穿透"，比如，一個穿過建築下到江邊去的梯道，同時也為街上的行人提供了觀賞沿江景色的視覺通道。建築在梯道處與山地間產生了聯繫，此處的建築剖面具有了山地特徵。

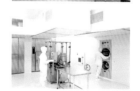

82

N

基地配置圖

0　7　14　21　28　35 m

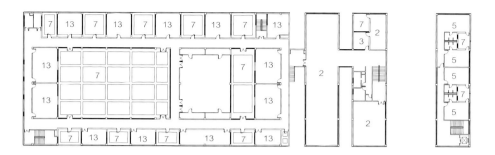

三樓平面圖

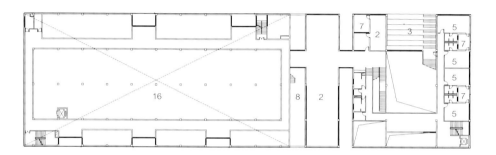

二樓平面圖

1. 大廳
2. 辦公室
3. 秘書室
4. 會議室
5. 警衛室
6. 研究室
7. 中庭
8. 屋頂平台
9. 咖啡廳
10. 餐廳
11. 廚房
12. 服務中心
13. 庫房
14. 電機室
15. 用途未定
16. 實驗室

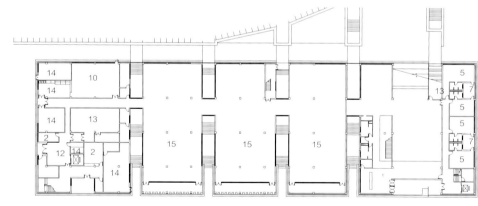

一樓平面圖

0　5　10　15　20　25 m

臨街面立面圖

臨河面立面圖

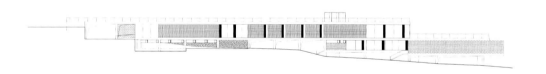

西向立面圖

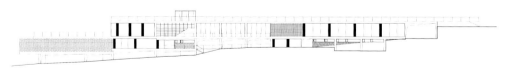

東向立面圖

0    5    10    15    20    25 m

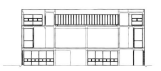

剖面圖 A-A

剖面圖 B-B

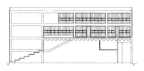

剖面圖 C-C

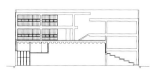

剖面圖 D-D

0    5    10    15    20    25 m

剖面圖 E-E

# 遠洋藝術中心

**Ocean Art Center**
Beijing

北京
# 2001

　　遠洋藝術中心是遠洋天地房地產開發項目的一部分，是由位於北京東四環路東側的基地上的廠房改建而成的。決定保留原有的二層廠房是業主對工業建築特有的質量的認可。因此，改造設計不但不否定原建築物的歷史，反而試圖明示並發展工業建築的空間秩序和結構邏輯：原有的開敞空間儘量不分割，新做的玻璃建築表皮將大跨度混凝土框架暴露出來。因場地規劃的原因，原廠房被切掉了三跨。切割的痕跡，作為這座建築生命週期中的一個階段記錄，也在立面上保留了下來。與此同時，在建築的北側，將建築內部的空間秩序延伸出去，形成一個不同元素平行組織的庭園。改建後，一樓作為房地產銷售中心使用，二樓則為舉行從展覽到演出等多種當代藝術活動的場所。

　　藝術中心內部的設計與建築設計平行：由於藝術中心並不限定某一特定藝術活動，任何形式的藝術活動都有可能在此進行。而原有廠房二層的開敞空間已為靈活使用創造了條件，那麼室內設計的問題就變成了在保留原有空間秩序和結構邏輯的條件下，使空間利用的可能性變得更積極，並使設計能參與和貫穿於不同的藝術活動之中。

　　基於空間使用的靈活性和最大限度地控制造價這兩點期望，設計的結果是一組活動的家具：
5.6 X 2.7 X 2.72米帶輪子的樓梯看臺五個；
6 X 4.8 X 2.4米帶輪子可拆散的組合盒子兩個；
3.6 X 1.2 X 2.4米帶輪子可展開的盒子一個。
使用者通過自由拼裝組合使藝術活動有機地嵌入其中。

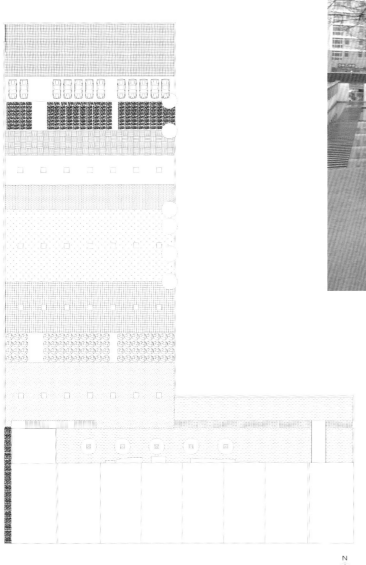

N

廣場平面圖

0　5　10　15　20　25 m

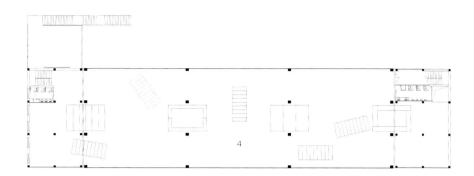

二樓平面圖

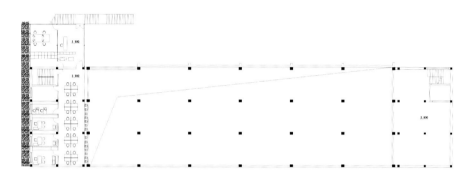

夾層平面圖

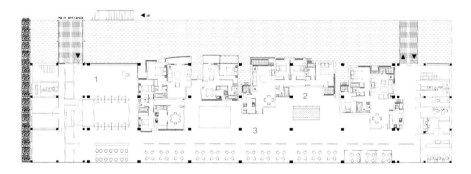

一樓平面圖

1. 入口
2. 樣品室
3. 接待室
4. 展覽空間

0　2　4　6　8　10 m

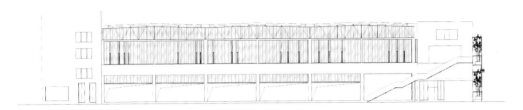

北向立面圖

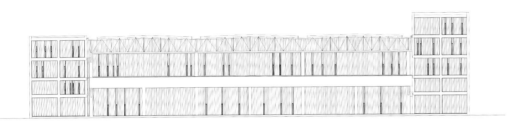

南向立面圖

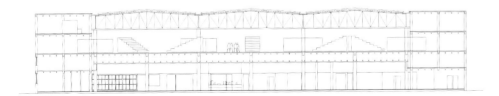

剖面圖 A-A

# 北京大學核磁共振實驗中心

**Beijing University Nuclear Magnetic Resonant Instrument Laboratory**
Beijing

北京
## 2001

北京大學核磁共振實驗中心（簡稱核磁中心）是一個改建工程。原有建築是建於1917年的燕京大學大鍋爐房，其主要空間爲開敞的三跨，中跨爲拱型，高於平頂的邊跨。核磁中心對其設備——核磁共振儀——的實驗流程、安裝維修、使用環境、周圍建築材料等有著苛刻的技術要求。同時，還需考慮配套儀器的實驗要求、增加辦公空間、參觀動線等等。建築師期望統一地而不是分別地處理核磁中心形形色色的功能要求；即無論命題有多複雜，爭取獲得一個簡單明瞭的答案。最終的解決方案是依照原鍋爐房現有的空間結構，組成了三個區域：將若干個核磁共振儀安放在原鍋爐房南北兩側的平頂跨內；利用中央高起的拱券新建一棟三層的"小建築"，集中容納所有的輔助空間。因此，小建築擔負著多重用途：從辦公、服務、參觀到儀器設備間及倉庫，同時又是工作人員、參觀人員、專用耗材的通道。其中也設置了設備管網，是改建後建築的核心。

爲了使這座小建築的基礎與原結構保持足夠距離，採用了一個"開"字形的剖面：沿著東西向排列的原有拱型結構的支撐柱基礎爲條型基礎，之間無地梁。延續原有基礎設計的結構概念，我們採用了同樣是條型基礎的兩片25釐米厚的鋼筋混凝土剪力牆作爲支撐體，位於原條型基礎之間。豎向交通——樓梯——及儲藏空間被安排在兩牆之中。上二層的樓板由從牆向外出挑4.1米的鋼梁支撐。新建築的結構是完全獨立於老建築的，它也可以稱爲是一棟"建築中之建築"。解決結構問題的同時，新舊建築不混淆，也實現了我們的初衷：對鍋爐房原有建築質量的尊重。

由於儀器的原因，小建築的外部，即實驗空間，相對於其內部有著更高的物理要求，倒也因此爲小建築提供了良好的環境條件。小建築週圍的玻璃之間留有2釐米的間隙，是辦公建築的呼吸器官，新風由此送入。整座建築的回風位於小建築內；於是，一個設備系統首先滿足了外部氣候條件同時又解決了小建築的內部空氣調節問題。

由於使用的要求與原有建築的限制，核磁中心的設計似乎自始至終貫穿著很強的邏輯性。然而，我們最終認識到對於簡單答案的追求可能已構成了一個不理性的工作開端。

1. 實驗室
2. 機房
3. 儲藏室
4. 參觀通道
5. 辦公
6. 會議

地面層平面圖

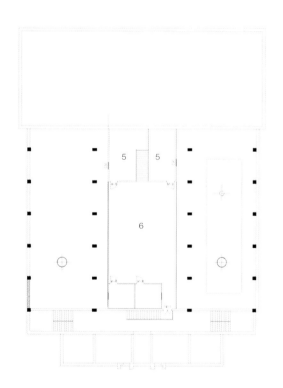

標高5.4公尺高度平面圖

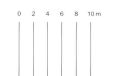

0  2  4  6  8  10 m

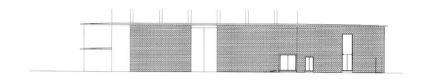

入口立面圖

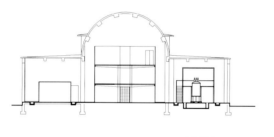

剖面圖1-1

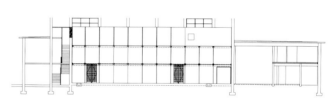

剖面圖3-3

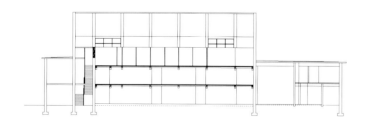

剖面圖2-2

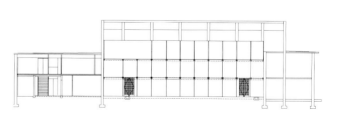

剖面圖4-4

0 2 4 6 8 10 m

# 四合廊宅

北京
# 2001-

地處北京市中心的四合廊宅設計面臨著雙重挑戰：保護北京歷史古城的肌理；同時更新傳統四合院，以適應當代生活方式的需求。

為保持現有胡同的寬度（基地上的主要胡同：報房胡同，其寬度為8米，其他較小的胡同的寬度約為3米左右），機動車的交通被放置在地下，並設地下車庫及停車場。胡同作為人行公用空間的傳統就可以隨之保留下來。多數建築為一層，少數為一層半，使在居住密度成倍增加的情況下仍可維持舊城原有的尺度。

更新傳統四合院的工作體現在對廊子概念的再闡釋。環繞院落、作為交通空間的廊子被重新定位成一個將整幢房屋連成一體的重要建築元素。如果廊子是封閉的，並與房間融合，或者說房間本身已經轉化成了廊子，那麼四合院以往相互分離的室內空間就構成一棟連續的建築。這種連續性使功能之間的關係更緊密，並開始接近現代的開放空間概念。與此同時，質量尚好的老房子通過部分修繕和加建而獲得連續性。出於對環境問題的考慮，新的建築材料，例如混凝土砌塊和層壓膠合板，替代了過去的粘土磚和木材。屋頂是傾斜的，但沒有採用傳統坡房頂的對稱形式，以獲得空氣對流和局部二樓夾層。增加的二層面積以及一層建築的延續性使密度翻倍；容積率從原有的0.35增至現在的0.7。再者，我們也從四合院的當代使用中得到啟迪：居民們在院子裡自行搭建棚子和小屋；儘管這種自發濫建的結果並不理想，然而其中所包含的理念卻是將房屋從拘謹的傳統建築佈局中解放出來。將加建的概念帶入四合廊宅，意味著在設計中為潛在的發展留出了伏筆。

這種連續性還暗示著我們參與中國住宅演進過程的努力。四合廊宅的設計試圖證明傳統的象形文字，作為空間組織形式，能夠繼續為當代的中國建築提供啟示。四合廊宅構成一個完整的內向空間，正如漢字中古圍字或口字的圖形。這種住宅平面還可以用另一個象形字，回字來描述，回形體現著環繞或者往返，同時暗示著連續。

保留面積 190 平方米
加建面積 300 平方米

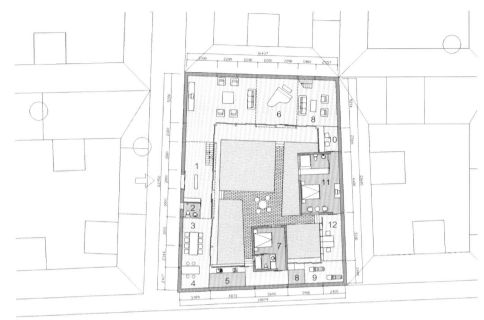

一樓面積261平方公尺
院子面積140平方公尺

一樓平面圖

1. 門廳
2. 洗手間
3. 大餐廳
4. 小餐廳
5. 廚房
6. 起居室
7. 臥室
8. 洗衣間
9. 健身房
10. 陽台
11. 主臥室
12. 書房
13. 多功能室
14. 地下車庫
15. 儲藏室
16. 僕人房
17. 儲藏室
18. 設備間

地下室面積131平方公尺

地下一層平面圖

0　2　4　6　8　10 m

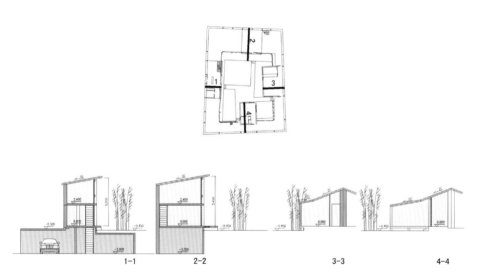

1-1          2-2                    3-3              4-4

剖面圖

0  2  4  6  8  10 m

# 五常總體規劃案

**Wuchang Master Plan**
Wuchang, Hangzhou

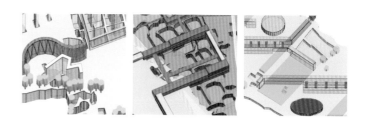

杭州 五常

## 2000-

位於杭州市西側的基地是約200公頃的濕地，其中水面占了40%左右。此專案的挑戰正是在發展的同時如何保護水面、保護濕地。設計從研究入手、方法入手，將對於發展平衡的目標轉化為對六個關鍵問題進行不同的排列組合的分析一設計。六個問題分別是：水、植被、生態（指大系統）、交通、建築、（開發）密度。如此，既考慮水與建築的關係又考慮水與植被的關係，既考慮密度對生態的影響也考慮密度對交通的影響，等等。其結果，在容積率達到0.8的情況下，水面不但可能完全保留，並可能梳理連通，發揮其用於交通的潛能。

然而，我們的設計成果不是單一的。由於大規模的開發周期較長，其中多有變數，因此，我們的規劃方案為每個具體地塊都設想了若干功能/空間組織的可能性，構成一個能夠適應變化的。在專案深入的過程中，就居住而言，我們進一步根據濕地的特定條件，對低層高密度的"島村"住宅群進行了研究和發展。

總平面圖

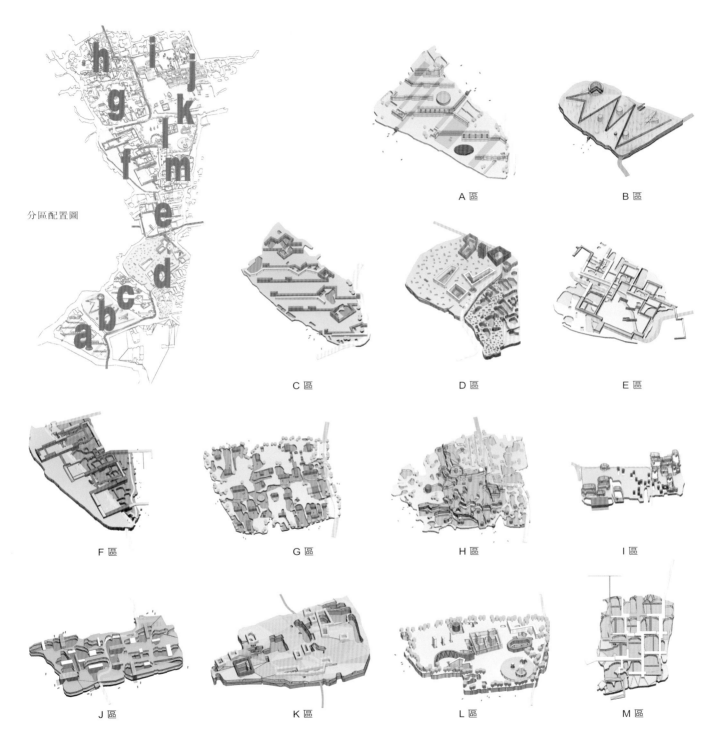

分區配置圖

A 區

B 區

C 區

D 區

E 區

F 區

G 區

H 區

I 區

J 區

K 區

L 區

M 區

元素之間的關係

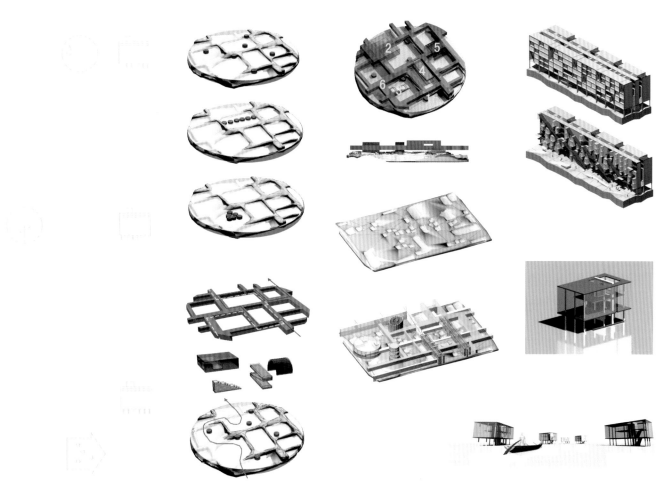

規劃元素分析圖

110

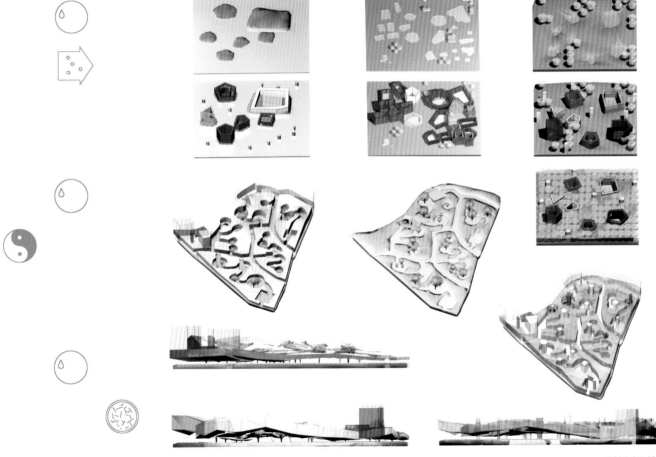

規劃元素分析圖

一般收入家庭成員

配偶及子女

辦公人員

服務業人員

① 本地人 ⎯⎯⎯⎯⎯
② 觀光客 ⎯⎯⎯⎯⎯
③ 計劃移居者 ⎯⎯⎯⎯⎯
④ 移居者 ⎯⎯⎯⎯⎯
⑤ 高收入 ⎯⎯⎯⎯⎯
⑥ 一般收入 ⎯⎯⎯⎯⎯
⑦ 配偶及子女 ⎯⎯⎯⎯⎯
⑧ 管理階層 ⎯⎯⎯⎯⎯
⑨ 辦公人員 ⎯⎯⎯⎯⎯
⑩ 服務業人員 ⎯⎯⎯⎯⎯

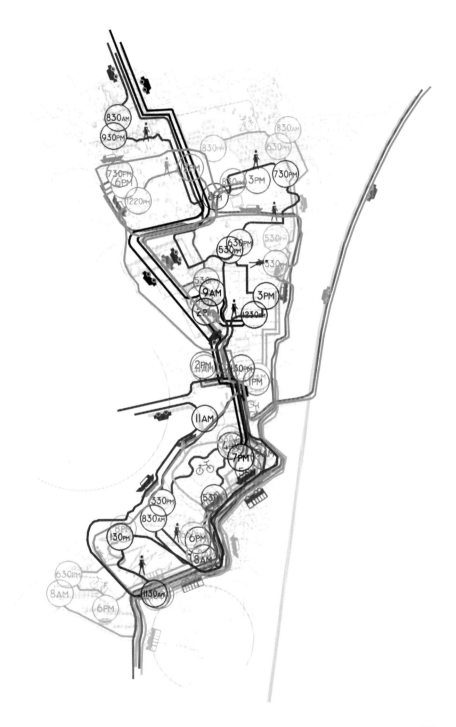

# 柳沙總體規劃案

**Bamboo Sea Castle-Towns**
Liusha, Nanning

南寧 柳沙

# 2002-

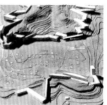

當我們參與進入南寧柳沙半島的規劃工作時，基地的原地形地貌已遭到嚴重的破壞。我們曾經考慮過修復的可能性，但終因實際進行的困難較多，改變了這個相對簡單的初衷。通過不斷的研究保留地形地貌、已破壞地形地貌以及兩者與開發之間的可能關係，最終認為可以通過建築作為連接－轉變的因素，為保留與破壞建立起新的關係。也就是說，用建築將兩種地形地貌"縫合"。作為一個200公頃左右的開發專案，即使以極高的速度進行，也需要8到10年的時間，因此，有必要對時間即發展過程進行設計。

出於上述的分析，我們做了一個三階段的概念性規劃。第一階段，在被破壞的區域裡遍植生長速度最快的竹子，恢復植被。在沿江及兩種地貌交界處，建設少量景觀旅遊設施。第一階段的性質定義為公園。第二階段，增加完善兩種地形邊緣的"縫合"建築，將存留的三塊原地形地貌分別圍合，形成三個景觀保護區，名為"三城"。根據其地形特點，分別為"風城"、"穀城"、"水城"。柳沙半島的使用性質為渡假。第三階段，在第一階段形成的竹林中建設獨立聯立住宅群落，整個半島呈現以住宅為主、綜合發展的穩定格局。

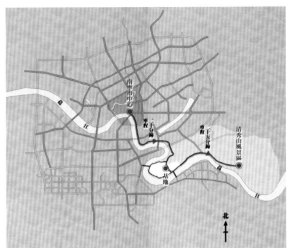

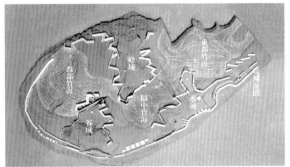

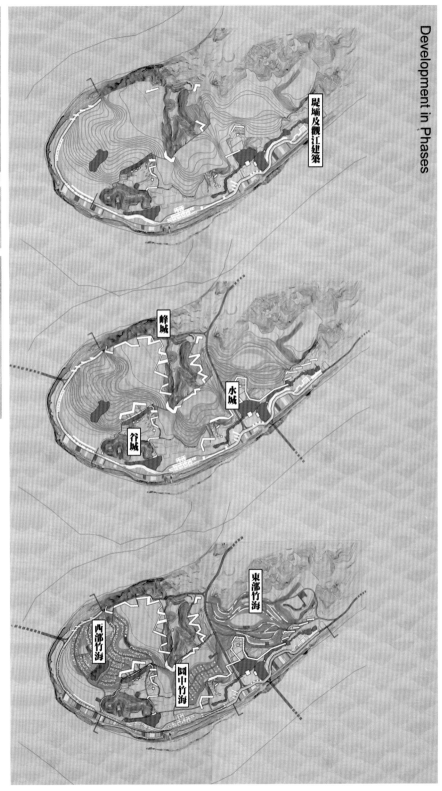

堤堰及觀江建築

峰城

水城

谷城

西部竹海

東部竹海

園中竹海

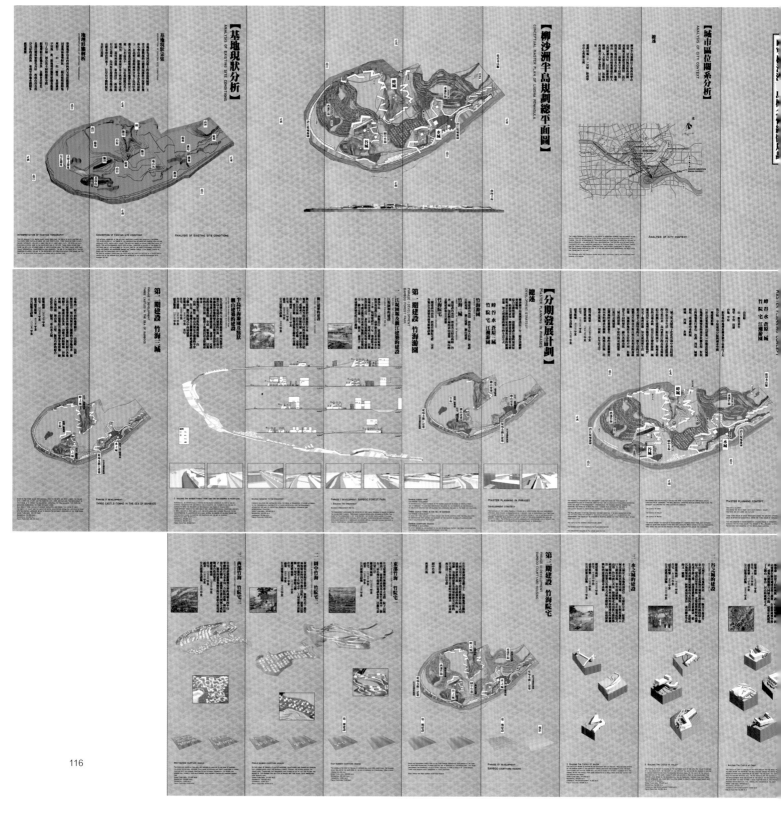

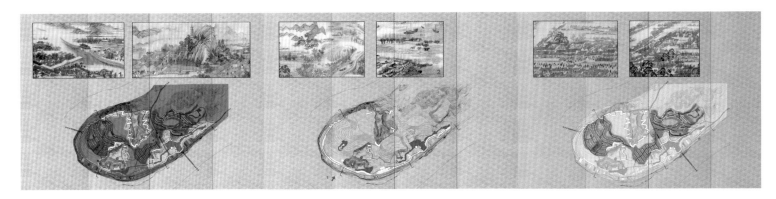

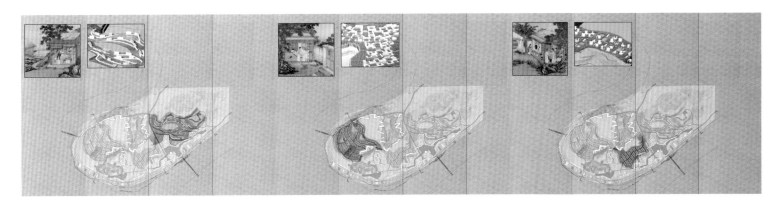

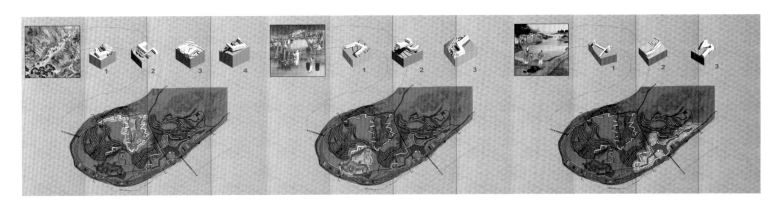

# 二分宅

**Split House**
Beijing

北京
## 2002

二分宅（或稱山水間）位於水關長城腳下11個別墅中的置高處，依山就勢，一分為二擁抱著山谷。一方面保留了基地上原有的樹木，同時功能上又分離了主（較私密）、客（較公共）空間，形成半自然半建築的庭院圍合，將大自然景色盡收宅內。一條在基地上現有的小溪蜿蜒穿過院子，在門廳的玻璃地面下潺潺流過。自然的空間、景色和人造的建築空間和景觀融合一體。

**轉譯傳統北京四合院：**將其從高密度的城市環境移植到自然景觀之中。院子從在城市中被建築四面圍合變為由山坡和房子環抱。如此，建築和自然之間的界限模糊了。房子二分也促成了人工與自然的結合，形成了山水之間的院宅——山水四合院。二分宅尊重傳統但不是模仿傳統的形式，而是試圖創造出當代中國住宅的新形象。

**建立一個靈活的原型：**二分宅在這個山地住宅區的建設中將可能被"複製"若干次，因此它的兩翼的角度並非是固定的，而可以隨著不同的山地地形調整。針對不同的地形，互成角度的兩翼可依地形的各異在0°－360°之間任意變化，可出現"一字宅"、"平行宅"、"直角宅"等等變形。

**建造一個對生態環境影響較小、日後必要時能夠相對容易並乾淨地拆除的建築：**借助中國以土木為主要建築材料的傳統，二分宅用膠合木框架作結構，用保溫隔熱效果良好的夯土牆作維護，對環境的影響限制在最低限度；保溫隔熱性能具佳的夯土牆可形成冬暖夏涼的室內環境質量；同時在使用者較少的情況下，二分宅亦可僅開放一翼，以節省運行和維護費用。

基地配置圖

0  5  10  15  20  25 m

發展階段草圖                    幾何上的變化

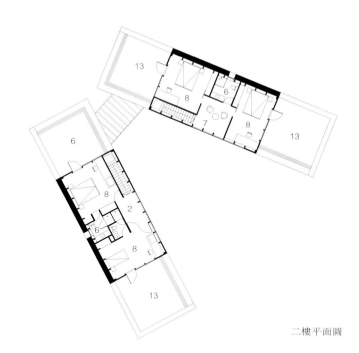

二樓平面圖

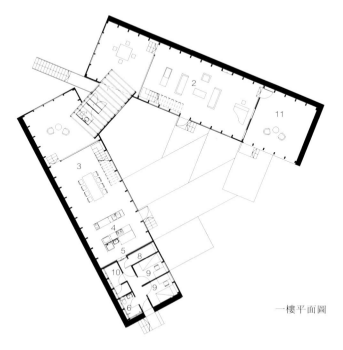

一樓平面圖

1. 前庭
2. 起居室
3. 餐廳
4. 廚房
5. 洗衣間
6. 廁所
7. 貯藏室
8. 臥室
9. 傭人房
10. 機房
11. 半戶外陽台
12. 中庭
13. 屋頂花園

0　2　4　6　8　10 m

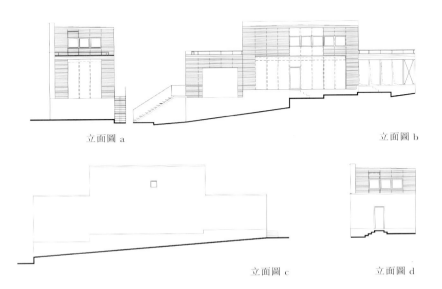

立面圖 a                              立面圖 b

立面圖 c                    立面圖 d

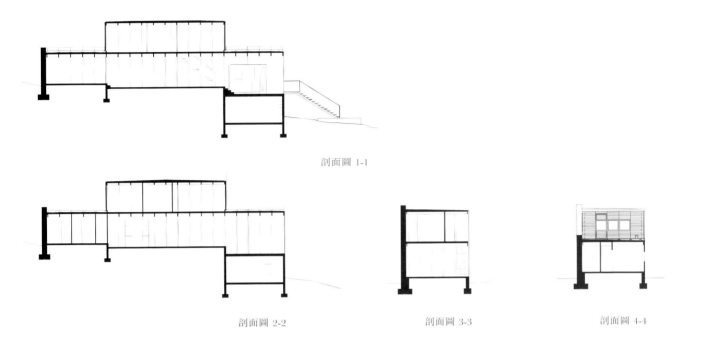

剖面圖 1-1

剖面圖 2-2

剖面圖 3-3

剖面圖 4-4

0　2　4　6　8　10m

# 石排鎮政府辦公大樓

**Shipai Town Hall**
Dongguan, Guangdong

廣東　東莞
## 2002

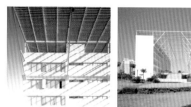

石排位於珠江三角洲，是廣東省東莞市的三十三個鎮之一。當地氣候炎熱而潮濕。鎮政府的設計將地方氣候特點作爲建築設計的出發點，強調地域性。這種地域建築的差異隨著80年代空調在中國的廣泛使用已逐漸消失。建築在東西向上被切爲三個薄片以形成良好的空氣流通；南向的柱廊既作爲遮陽設施又塑造政府形象；而頂層的水平遮陽系統則減少屋面受到的輻射熱，同時又限定了薄建築之間的公共空間。

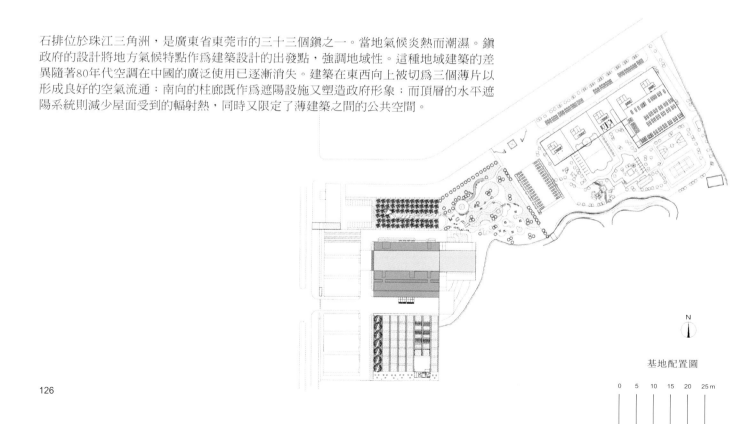

基地配置圖

0　5　10　15　20　25 m

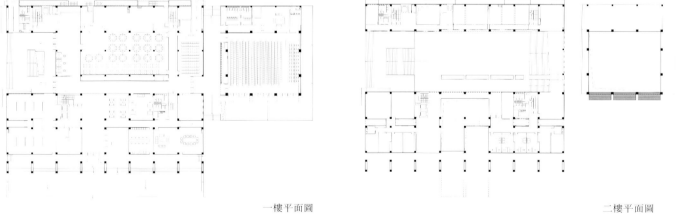

一樓平面圖　　　　　　　　　　　　二樓平面圖

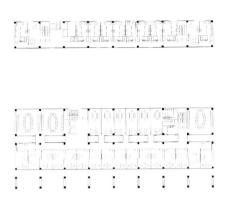

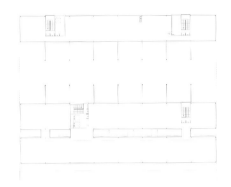

四樓平面圖 頂樓平面圖

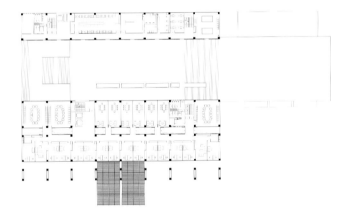

三樓平面圖

0  2  4  6  8  10 m

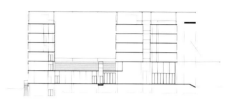

剖面圖 1-1

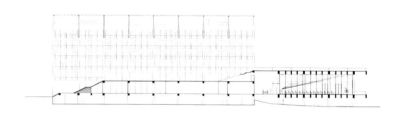

剖面圖 2-2

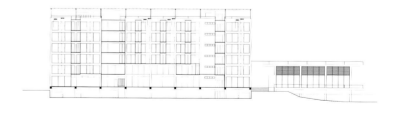

剖面圖 3-3

0 2 4 6 8 10 m

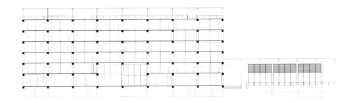

剖面圖 4-4

北向立面圖

東向立面圖

# 蘋果社區銷售接待中心／美術館

**Pingod (Apple) Sales Center / Art Museum**
Beijing

北京
## 2003

蘋果社區是一個大約有五十萬平方公尺面積的住宅案，座落在北京中央商務區的南端。非常建築在進行該專案的總體規劃設計的同時，被委託將舊址鍋爐房改造成蘋果社區銷售接待中心，同時這幢建築將作爲臨時的現代美術館。這種肩負商業與文化雙重用途的建築設計是很有挑戰性的，雖然這種情況在北京並不少見。這種臨時性意味著快速的建造和低廉的造價。

設計實施了兩項互相關聯的操作：清理現有空間和引入新的建築物件。對原有空間的最大化保留便是清理的極少原則。出於經濟和美學的考慮，鍋爐房遺留的工業痕跡被盡可能的保留。新的建築物件（如觀景窗）被設置在新的空間功能需要的地方。比如入口，在這裡室內外空間交互需要這樣一個建築物件。其他建築物件用來作洽談窗室、舞臺、接待櫃檯等。這些物件都用不同的材料來表現，比如鏽蝕的鐵板和高亮度的色彩。

最終的結果是富於戲劇性的：原始工業空間的交互放大和新建築物件交互縮影。

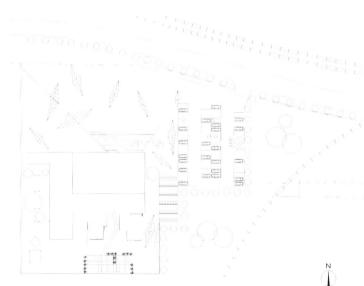

N

基地配置圖

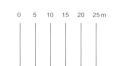

0　5　10　15　20　25m

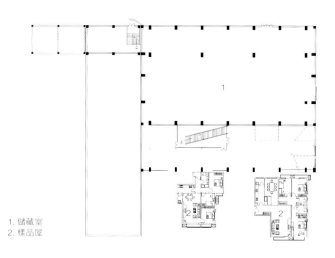

1. 儲藏室
2. 樣品屋

一樓平面圖

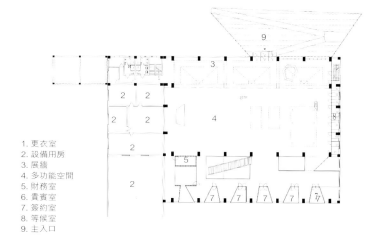

1. 更衣室
2. 設備用房
3. 展牆
4. 多功能空間
5. 財務室
6. 貴賓室
7. 簽約室
8. 等候室
9. 主入口

二樓平面圖

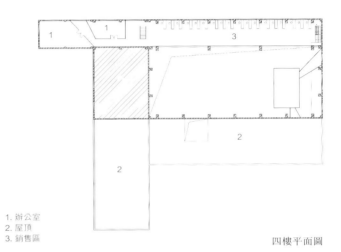

1. 辦公室
2. 屋頂
3. 銷售區

四樓平面圖

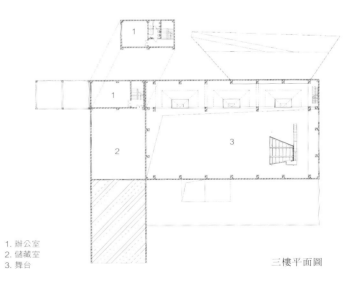

1. 辦公室
2. 儲藏室
3. 舞台

三樓平面圖

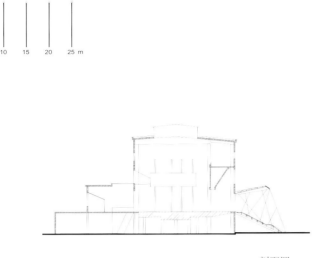

剖面圖

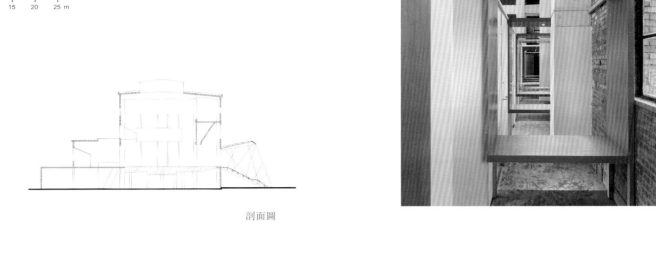

北向立面圖

# 河北教育出版社

**Hebei Education Publishing House**
Shijiazhuang, Hebei

河北 石家莊
## 2004

**開發的邏輯：**
河北教育出版社期望建築達到基地規劃要求允許的容積率，是在滿足自己空間需要的基礎上，對土地資源的充分利用，是從經濟出發的考慮。然而，對出版社自用以外的建築面積的使用策劃便轉化爲建築設計的問題，同時也觸及到建築與城市關係：私有空間與公共空間之間是如何界定？哪些/什麼空間是可能提供給城市？哪些/什麼空間可以向城市開放？採用何種形式？城市空間與建築空間的分野在哪裡？其實也是，如何給綜合樓定義？

**綜合的邏輯：**
傳統意義上的綜合樓概念一般體現的是一個機構內部某些通常分區佈置的功能，如辦公與宿舍，被集中到一個建築單體內的狀況。河北教育出版社大廈功能混合的程度已超出了單一機構的範疇，其中包含了：河北教育出版社自用辦公、出租辦公室、會議展覽中心、美術館、旅館、餐館、咖啡館、書店、文化沙龍、員工餐廳、室內籃球場等。

如此複雜的使用似乎不應簡單得在一棟建築中切割出來。而應首先策劃/組織功能，在其基礎上確定建築形態。最終，功能被明確劃分爲三組，一棟建築於是相應拆解爲彼此相對獨立又有關聯的三棟建築：河北教育出版社辦公，爲頂部三層；出租辦公樓，東側七層，連同北側二層的會議展覽中心、員工餐廳、室內籃球場等，此爲建築向城市提供使用空間；商業設施樓，西側八層，一樓爲旅館門廳，一樓爲餐館，三至七樓爲旅館客房，臨街地下室設咖啡館、書店、文化沙龍等。美術館雖設在商業設施樓上，但向屋頂花園開放，構成商業設施與出版社之間的過渡。此建築向城市開放。

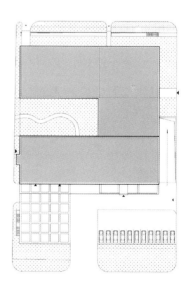

N

基地配置圖

0  5  10  15  20  25m

**城市的邏輯：**

三棟建築組合的形成，將設計的思路再次引向城市。用城市的思維方法對待這棟建築，公共空間都具有城市性。城市（空間）可能進入建築（空間），出現建築中的城市。這種微型城市觀我們在1998年完工的北京中國科學院晨興數學中心的設計中便存在了。當時主要體現在內部空間關係上。在河北教育出版社中發展到建築外部的形態關係。

在石家莊的這個微型城市中，每棟單體建築都是肌理建築，因此具有簡單的體型。為了識別建築群中的河北教育出版社，在其外部做了木隔扇表層；其他兩棟建築均為混凝土砌塊外牆。在城市中，建築之間往往形成公共空間。在河北教育出版社的三棟建築之間設置了公共綠地：一個垂直的花園，在河北教育出版社辦公與出租辦公樓之間的屋頂上水平展開，同時也是建築的消防梯系統，在視覺景觀上與南側水上公園連在一起。文化性的美術館也是這個建築內部公共空間的一部分。

河北教育出版社大廈的城市性既是概念的又是物質的。

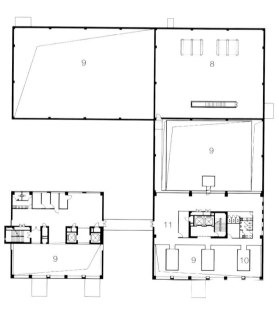

1. 籃球館
3. 職工食堂
4. 大廳
5. 大堂
6. 接待
7. 活動室
8. 休息
9. 中空
10. 洽談室
12. 開放辦公

一樓平面圖

二樓平面圖

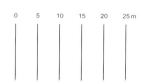

七樓平面圖

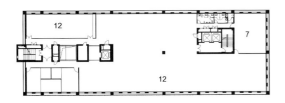

十二樓平面圖

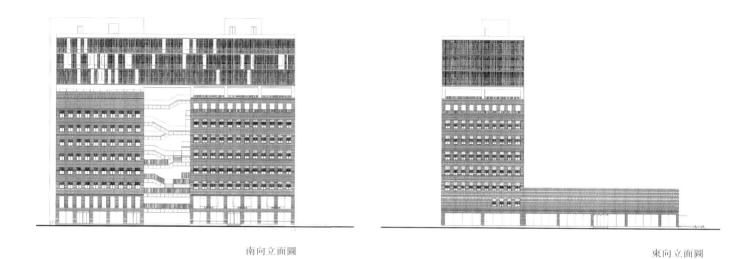

南向立面圖

東向立面圖

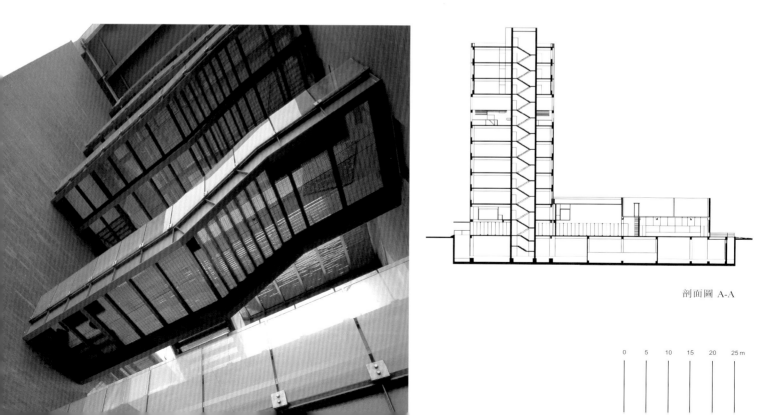

剖面圖 A-A

0　5　10　15　20　25 m

# 柿子林會館

**Villa Shizilin**
Beijing

北京
# 2004

### 拓撲景框

經過了四輪的設計，這個在北京昌平一個柿子林中的專案終於聚焦在看與被看這一對關係上：由於建築周圍有優美的自然環境，於是房間或房間組被作爲取景器來設計。取景器－房間共有九個，面向不同的方向與景觀；看的需要促使其三維形狀內收外放，作爲景框的大口是落地窗，兩側承重實牆呈八字關係，屋頂傾斜構成單坡。換言之，坡屋面首先是爲限定取景器而出現的。取景器－房間之間，有時是中間，則是保留下來的柿子樹。建築與景觀又相互融合了，建立起與基地之間的另一重關係。

其實，建築同時總又是被看的物件。建築設計也是造景。將九個取景器－房間傾斜程度不同的屋頂整體看待，建築頂部便出現了一個起伏的相對複雜的拓撲介面；也許可以認爲是一個人造的地景，與基地周圍的山巒呼應；也許又可以作爲以當代的建築語言翻譯傳統中國建築坡頂形式的一次嘗試。以往中國建築的研究中，更偏重於單體屋頂形式的傳承。而典型的中國建築則普遍是以群體存在的。一個院落四周建築的屋頂大小變化本身便包含了拓撲關係。在柿子林，取景器是決定屋頂形式的先決，而對中國傳統建築群體屋頂的觀察提供了最終的參考。

柿子林別墅/會館採用與取景器空間完全吻合的、不平行石夾混凝土承重牆與混凝土反梁結合的結構體系。因此結構是建築不可分割的一部分。石料爲就地取材的花崗岩。長期以來，鑒於前輩建築師在中國建築的形式與形象方面做了大量的深入的工作，非常建築則將對傳統的探索轉向空間和建造等問題，對形式與形象一直沒有形成切入點。群體屋頂拓撲目前是我們形式工作的突破口，向建立中國建築的當代性與地域性全面推進。

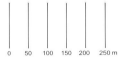

```
0   50   100  150  200  250 m
```

新建建築
混凝土整體路面車行道
亂石塊鋪裝車行道
通道
水刷石面層車行道
車道
人造地形
水景
新建毛石牆體
擋土牆
鐵欄杆爬藤牆

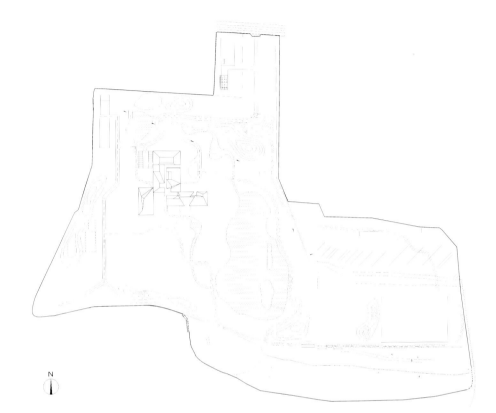

N

基地配置圖

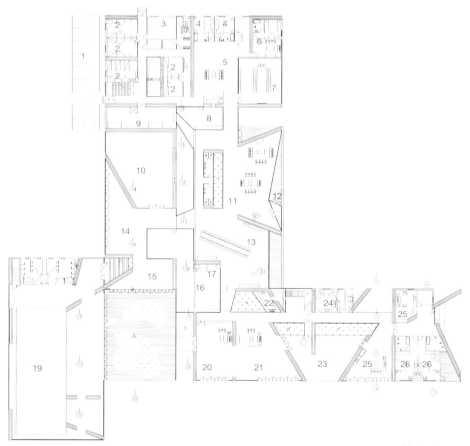

1. 停車位
2. 傭人房
3. 警衛室
4. 客房
5. 客用起居間
6. 客用套房
7. 會議室
8. 竹園
9. 廚房
10. 電影放映室
11. 會客室
12. 主入口
13. 餐廳
14. 娛樂空間
15. 健身房
16. 林地
17. 酒吧
18. 更衣室
19. 游泳池
20. 畫室
21. 家人用餐廳
22. 預備室
23. 家人用出入口
24. 助理室
25. 父母起居室
26. 父母房

一樓平面圖

0　5　10　15　20　25 m

1. 佣人房
2. 客房
3. 客用套房
4. 露台
5. 玻璃屋頂
6. 兒童起居間
7. 兒童房
8. 書房
9. 保姆房
10. 起居室
11. 主臥房
12. 儲藏室
13. 陽台
14. 浴室

二樓平面圖

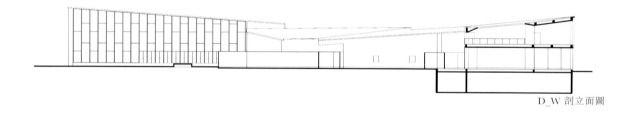

D_W 剖立面圖

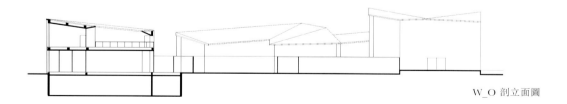

W_O 剖立面圖

0    5    10    15    20    25 m

A_L 剖立面圖

J_W 剖立面圖

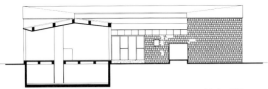

3_14 剖立面圖

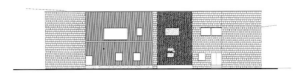

14_4 剖立面圖

# 達里諾爾自然保護區
# 宣傳教育中心

**Dalinor Tourist Orientation Center**
Inner Mongolia

內蒙古　達里諾爾

# 2004

這幢建築是保護區用來接待遊客的，內部設有介紹區內地質地理、動植物以及風土人情的展覽、電影放映等使用功能。為了儘量減少對草原環境的影響，我們把建築看作是草原地形的一個組成部分來設計，即將建築處理成地面的延伸和隆起。為了限制建築的高度，使之更加融合在草原之中，建築的底層是沈入地下的；從而也形成室內地面在一系列不同標高上，將整個遊客在建築內的路線連成一個起伏變化的環路。在同一立場指導下，建築突出地面的部分也局部用土坡覆蓋。與地面相連的屋頂種植了與草原一樣的植被，人和牛羊將會從草原不知不覺地走上屋頂，或觀光或放牧。因此，達里諾爾宣教中心可以被認為是一棟幾乎沒有外表的建築，同時也是我們以人造地形為設計出發點的又一次嘗試。

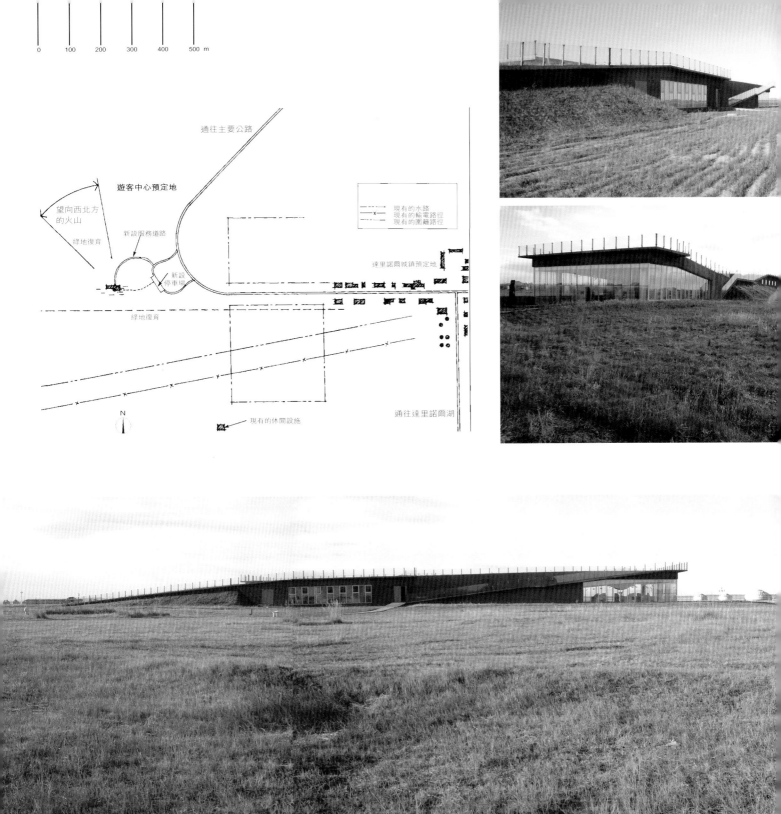

通往主要公路

遊客中心預定地

望向西北方
的火山

綠地復育

新設服務道路

新設
停車場

現有的水路
現有的輪電路徑
現有的圍籬路徑

達里諾爾城鎮預定地

綠地復育

N

通往達里諾爾湖

現有的休閒設施

0  100  200  300  400  500 m

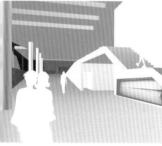

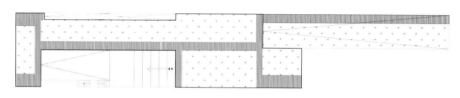

屋頂平面圖

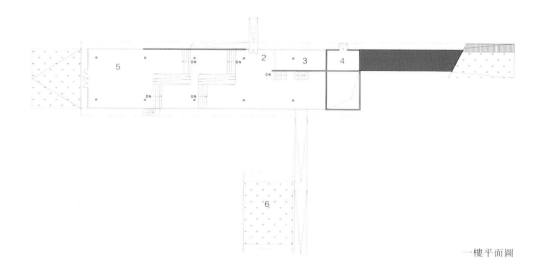

一樓平面圖

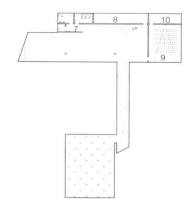

1. 入口
2. 入口大廳
3. 紀念品/接待/辦公室
4. 機房
5. 展覽空間
6. 露天廣場
7. 洗手間
8. 儲藏室
9. 放映室
10. 放映預備室

半地下層平面圖

0    5    10    15    20    25 m

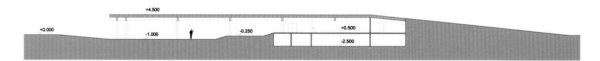

剖面圖 A-A

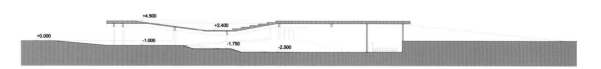

剖面圖 B-B

0  5  10  15  20  25 m

剖面圖 C-C

剖面圖 D-D

剖面圖 E-E

# 泉州中國當代美術館

**Small Museum of Contemporary Art**
Quanzhou, Fujian

福建　泉州

## 1998-

在"小當代"建築設計工作的初始階段，我們便對泉州當地的老房子發生了興趣。出於經濟上的考慮，既爲了降低"小當代"的造價，也作爲民居大量被拆除時期的文化保護的最後一種手段，利用舊建築材料被設爲"小當代"建築設計的出發點。

用舊磚、石、瓦及舊木屋架來建造一個新的建築，從而也遇到了二個非常當代的問題：一是現成品(found object / readymade)，二是拼貼(collage)。現成品的關鍵是轉化。具體設計工作就磚石與木屋架二類材料結構分別進行。舊磚石的轉化原來在泉州當地有著久遠的傳統。將舊磚石混合砌築承重牆的建造做法被稱爲"出磚入石"。建築師將出磚入石直接帶入設計。現成品由材料變爲方法。

對舊屋架的再利用則進行了一系列實驗。實驗的假設是四個大小不同的相對完好的屋架（正、側、耳房等的屋架尺寸都不相同），對它們進行排列組合：即從大到小、邊大中小、邊小中大，通過木檁條的鋪設構成屋面。由於屋架大小的變化，屋頂呈現出不規則的折面形式。傳統的建築形象被傳統的建造方法自行化解，而不復存在。

拼貼則存在於磚與石之間、承重牆與木屋架之間、屋架與屋架之間的關係中。後來對民居的興趣從材料結構發展到空間。泉州的老宅主要有二種空間組織：厝，合院型空間；寮，多層次線性空間系列。小當代的空間是厝和寮的重疊。如果空間形式亦可被看作爲現成品，這種重疊又構成拼貼。

同時，傳統的室內外關係被翻譯爲"黑"（室內）、"白"（室外）、"灰"（半室外半室內，有頂無牆，通常向庭院開敞）三種空間。從而給不同的藝術家工作方式和藝術品展覽形式提供了不同的場所。

基地配置圖

N

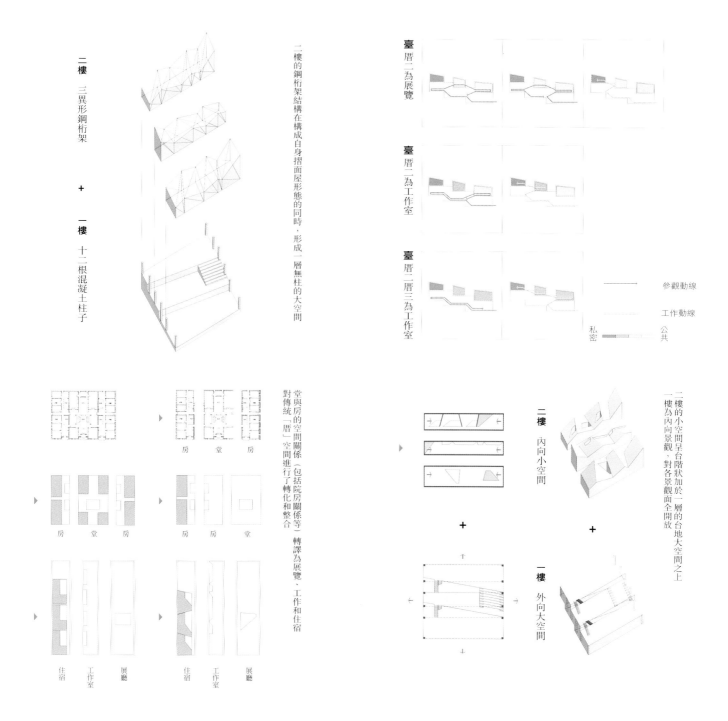

二樓的鋼桁架結構在構成自身摺面屋形態的同時，形成一層無柱的大空間

二樓　三異形鋼桁架

＋

一樓　十二根混凝土柱子

臺厝二為展覽

臺厝二為工作室

臺厝二厝三為工作室

參觀動線

工作動線

私密　　公共

對傳統「厝」空間進行了轉化和整合　轉譯為展覽、工作和住宿

堂與房的空間關係（包括院房關係等）

房　堂　房

房　房　堂

住宿　工作室　展廳

住宿　工作室　展廳

二樓　內向小空間

＋

一樓　外向大空間

二樓的小空間呈台階狀加於一層的台地大空間之上

一樓為內向景觀，對各景觀面全開放

0   5   10   15   20   25 m

3600 標高平面圖

1. 庫藏
2. 製作
3. 機電
4. 空調
5. 辦公室
6. 休息室
7. 儲藏
8. 展廳
9. 多功能廳
10. 接待
11. 服務台
12. 門廳
13. 咖啡廳
14. 戶外茶座
15. 廁所

1200 標高平面圖

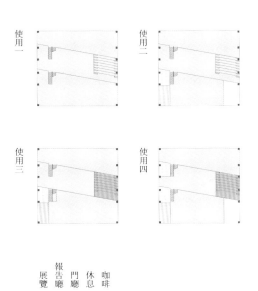

使用一　使用二

使用三　使用四

報
展 告 門 休 咖
覽 廳 廳 息 啡

一樓的大空間為全開敞，可以根據不同的使用要求進行靈活分隔，必要時可以都作為展覽使用

剖面圖

剖面圖

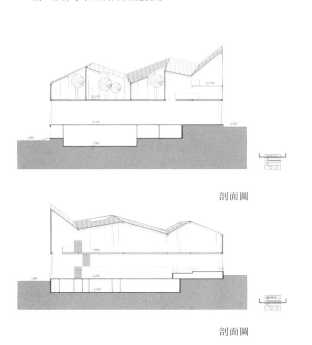

剖面圖

剖面圖

剖面圖

剖面圖

0　5　10　15　20　25 m

# 三湖出版社

**Samho Building**
Paju Book City, Korea

韓國 坡州

# 2000-

坡州是首爾附近的一個出版業新城。三湖出版社的基地是城中一個街區，四邊條件各不相同：北面是公共綠地，東面是一條交通幹道，南面是一條人車分享的街道，西面則是一條步行商業街。三湖出版社所要建的這棟建築中有四個功能：辦公室、書店、音樂廳及畫廊、業主公寓及其他一些公司成員的潛在住所。對這兩組條件的分析啓發了一個由四個相對獨立的建築組合構成的設計概念：在底層，書店或"商業建築"與西側步行商業街平行；位於東側的音樂廳/畫廊或"文化建築"以較封閉的立面面對交通幹道的車流。疊摞在這兩棟建築上、同時在平面上與之構成九十度交角的是臨街的"辦公建築"和北側相對私密又向綠地開敞的"住宅建築"。上層建築與下層建築的直角關係使辦公與住宅獲得日照，同時也形成一個中心院落，將城市空間延續到建築中來。四個建築部分在剖面及圍護材料上的處理是不同的。基本圍護體系是一個雙層玻璃填充牆：文化、商業、住宅、辦公建築的牆體內分別填充了土、蘆葦、棉花、刨花。

N

基地配置圖

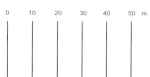

0   10   20   30   40   50 m

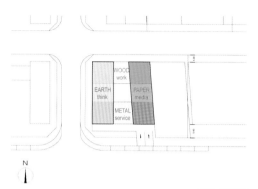

基地配置圖

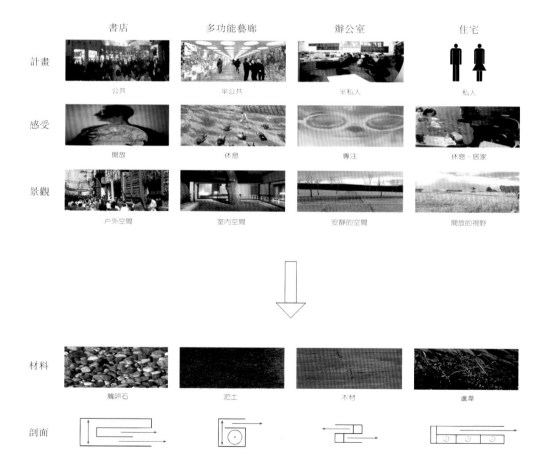

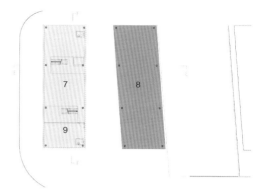

五樓平面圖

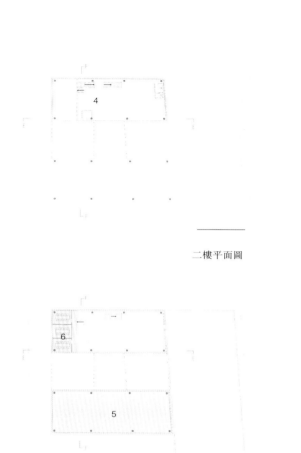

二樓平面圖

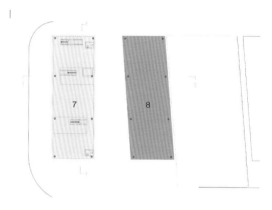

四樓平面圖

夾層平面圖

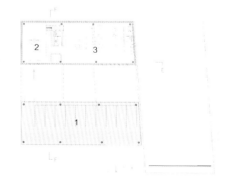

一樓平面圖

三樓平面圖

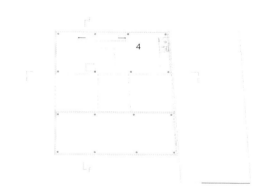

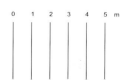

0　1　2　3　4　5 m

1. 停車場
2. 入口大廳 / 接待區
3. 咖啡廳 / 休息室
4. 一般辦公區
5. 電氣室 / 服務區 / 儲藏室
6. 會議室
7. 辦公室
8. 媒體 / 廣告
9. 總裁辦公室

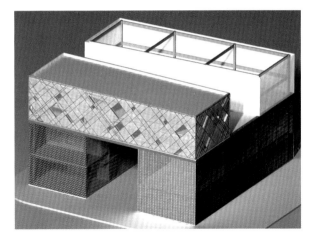

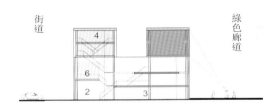

E-E 剖面圖

F-F 剖面圖

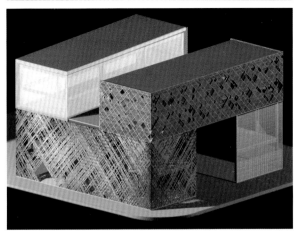

# 淞山湖工業設計大廈

**Corporate Incubator, Songshanhu**
Dongguan, Guangdong

廣東　東莞

# 2002-

本案的基地是嶺南典型的丘陵，起伏平緩。而工業設計大廈這種規模（兩萬七千平方米）的建築的巨大尺度很容易使地形的微妙差異失色。於是我們將建築與地面接觸的部分按自然地形的規律設計，形成高低變化的折面樓層，內部用作講演廳、餐廳、以及階梯式辦公等空間之用，同時也使自然延伸到建築裡來。也可以說，此樓層是自然地形的延續，是人工的地貌。在其上部是若干個架空的建築組成的群落，建築與建築之間的空隙促成自然景觀的連續與滲透。人可以從地面沿著人造地形層的屋頂進入不同的上層建築。屋頂既是交通空間又是綠化景觀。作為一個出租性辦公場所，人工地貌的設計概念也使許多公司能夠有自己的出入口。工業設計大廈的線性形態是為了與園區內的其他建築圍合出共用的室外空間。建築的表面將採用藤編遮陽系統，除了調節室內光線、降低能源消耗，也希望能在材料上反映出一定的地域性。

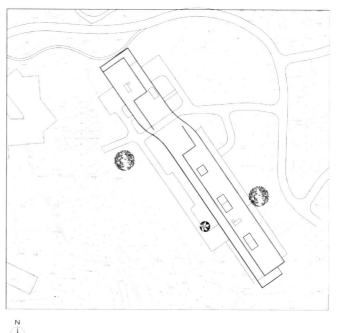

N

基地配置圖

0　20　40　60　80　100 m

0  10  20  30  40  50 m

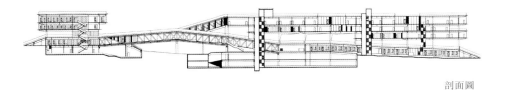

剖面圖

三樓平面圖

二樓平面圖

一樓夾層平面圖

1. 辦公
2. 辦公 / 實驗
3. 大廳
4. 設備機房
5. 停車

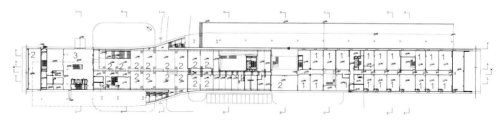

一樓平面圖

0　10　20　30　40　50 m

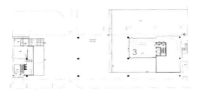

一樓低層平面圖

地下一樓平面圖

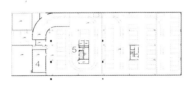

地下二樓平面圖

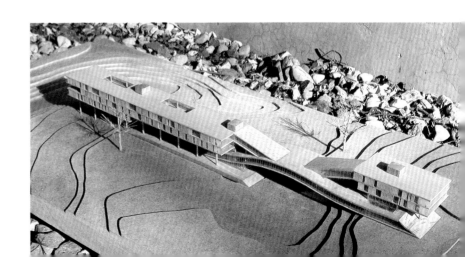

# 吉首大學綜合科研教學樓及黃永玉博物館

**Jishou University Research and Education Building and Huang YongYu Museum**
Jishou, Hunan

湖南 吉首

# 2003-

建築位於湖南省吉首市吉首大學校園內，由兩部分組成——綜合科研教學樓和黃永玉博物館。設計主要關注兩個問題：一個是建築如何重組建築與周邊物理環境的關係；二是建築如何與當地原有的建築文化傳統建立積極的聯繫。

校園建在山地上，幾乎所有的建築都是依山而建。建築的基地位於校園中心的人工湖南側，原是坡地，後被削平。教學樓與博物館形成的整體以楔狀的剖面形態插入基地，用建築的手段恢復了基地物理環境的秩序。裙房部分的屋頂與高層部分的北側外牆在剖面形態上構成兩個不同斜率的連續的表面，從而模糊了屋頂與外牆兩種不同功能的建築構件在形態上的差異。屋頂與外牆上相似的開窗方式進一步加強了這種混淆，使建築整體加入"造山運動"。

對建築文化傳統的尊重在吉首地區分化為兩種模式：一種是對老城區內建築物"標本"式的保護；另一種是新建的建築物不顧結構、材料、功能、尺度等方面的巨大差異，對傳統民居單體形式的"戲仿"。我們以保持當代建造邏輯並接受新建築的大尺度為前提，嘗試將傳統民居村鎮聚落的肌理帶入建築的形式系統，從而在視覺上建立起新建築與當地建築文化傳統的呼應。因此，在概念上，這棟建築既是"山"又是"村"。

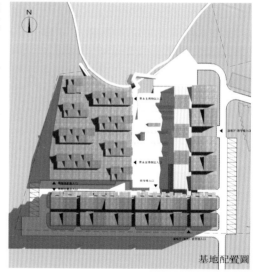

基地配置圖

0　15　30　45　60　75 m

一樓平面圖

1. 實驗室
2. 展覽室
3. 辦公室
4. 文物儲藏
5. 值班
6. 研究生教室

0　5　10　15　20　25 m

博物館室內透視圖

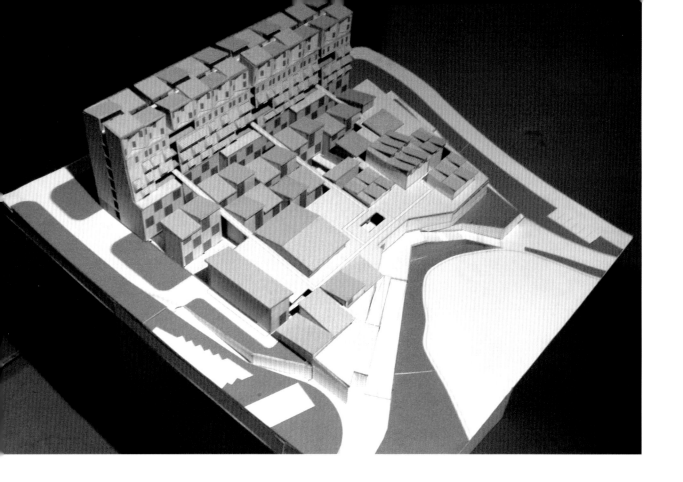

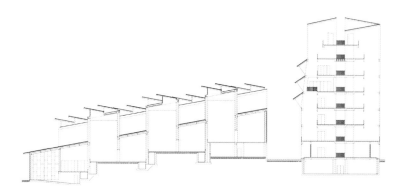

剖面圖

0   5   10   15   20   25 m

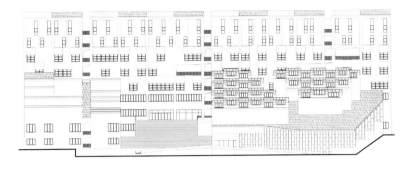

立面圖

# 鋼格柵宅
## 中國國際建築藝術實踐展17#

**Steel Grating House - China International Practical Exhibition of Architecture 17#**
Nanjing

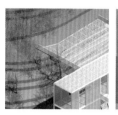

南京
# 2003-

在南京珍珠泉的鋼格柵宅，設計主要是建立在兩組關係的基礎上：

**一、 基地與材料**
已知：陡坡，植被茂盛。
問題：如何盡可能地保護原地形地貌。

因此：

**輕——**
分析：建築以極輕的形式插入基地。建築本身"浮"於基地之上。因此不但不影響坡地的原地形地貌，也不影響原有的自然排水形式。
解：點式基礎。

**透——**
分析：減少建築對植物生長的影響。植物能夠穿透人造的介面。
解：鋼格柵為基本建築材料。
解的展開——鋼格柵系統：鋼格柵是一種常用的鏤空圍護構件體系，具有成為建築結構的潛力。
水平：鋼格柵系統構成的人造地坪與基地原有自然坡地的疊加共存，可以產生特殊的建築體驗。院落中的鋼格柵地面在提供水平活動平面的同時，由於自身透光、透水、透氣的特性，使其下部自然地形上的植被得以存活。比較高大的喬木，樹冠可以穿出鋼格柵院落地面。同樣的邏輯被移植到上層屋面的植草懸掛屋頂的做法。
垂直：鋼格柵作為一種預製的鋼構件，可以通過調節扁鋼的厚度、高度、密度來改變其承載能力。它又被認為是一種半透明的圍護構件，與其他保溫隔熱材料共同構成建築的牆體，有多種可能性。目前的結構設計採用鋼格柵承重牆＋槽鋼圈梁/過梁。圍護考慮"被褥"式軟做法。

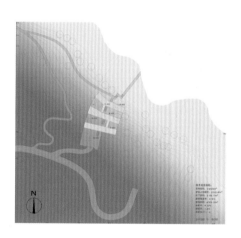

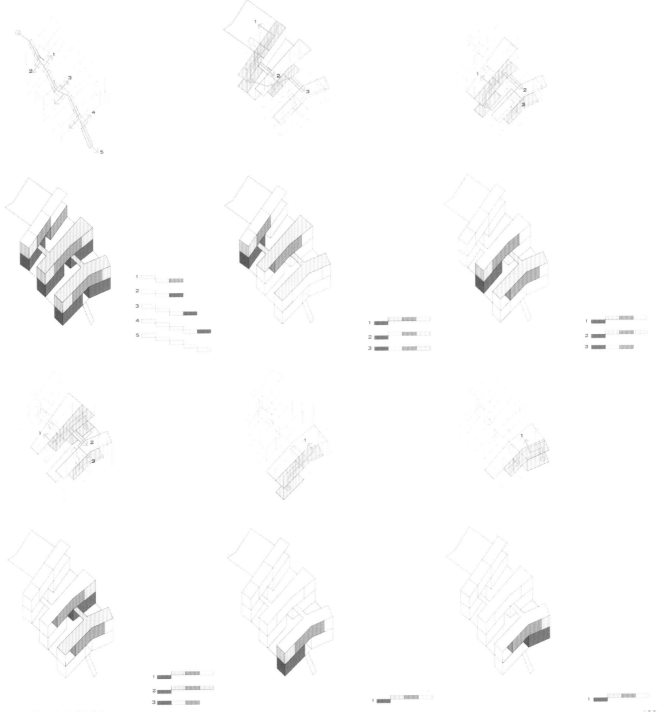

功能＋使用方法分析圖

## 二、 使用與形態

已知：別墅－旅館，性質為度假。

問題：限定界乎於別墅與旅館之間或二者兼顧的建築類型。

因此，

### 散——

分析：根據建築物作為短期出租的使用方式，使用者更可能是友人群體，即若干個家庭的組合，空間的組織不應以單一家庭為模式。使用者應有更多的私密性，個人應有更多的活動空間。個人空間的相對分散、鬆散的組織形態，也使建築可以更為積極靈活地應對地形。

解：設立套間單元以及私密/公共空間轉換。

解的展開——套間單元：每個套間單元擁有臥室和自己獨立的起居空間。

公共活動場所：套間單元內的個人起居同時又可以與共用的起居空間連通，構成一個更大的公共場所，為開晚會等活動之用。通過對個人起居與公共起居之間的轉換關係即使用方式的設計，實現可分可合的靈活佈局。

將上述想法帶入基地，便出現了以院落分層的建築形態。

此外，針對南京夏季炎熱的氣候，再提出：

### 薄——

淺進深空間具有通風良好的特性。建築沿坡度方向分為三個薄層，由兩個院落分隔。薄空間也為使用者提供了適宜的空間尺度，同時擁有兩側的室外空間。

輕、透、散、薄四個字也許已概括了鋼格柵宅背後的基本的建築學思考。

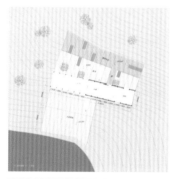

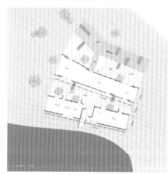
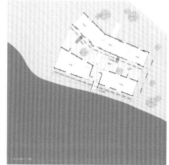
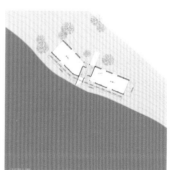

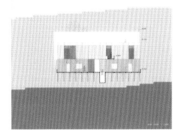 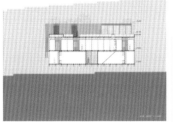 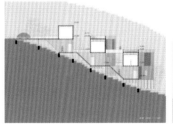 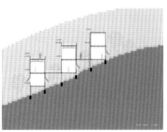

鋼格柵＋玻璃      鋼格柵＋植草屋頂      鋼格柵＋輕質屋頂

透明強化玻璃

鋼格柵

鋼格柵＋棉被

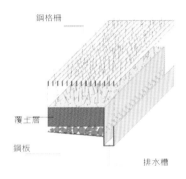

鋼格柵

覆土層

鋼板

排水槽

鋼格柵＋自然植被

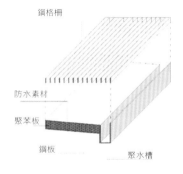

鋼格柵

防水素材

聚苯板

鋼板

聚水槽

鋼格柵＋注塑樓板

織物面層（可拆洗）

岩棉

鋼格柵

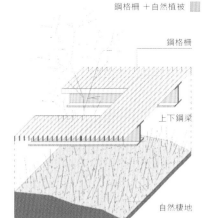

鋼格柵

上下鋼梁

自然棲地

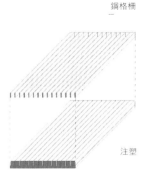

鋼格柵

注塑

鋼格柵系列作法      鋼格柵系列作法      鋼格柵系列作法

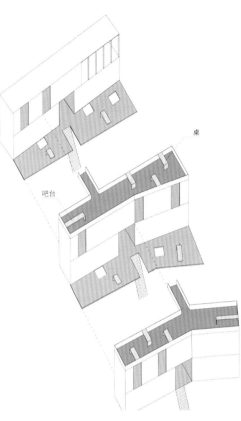

桌

吧台

# 建川博物館聚落總體規劃

**Master Planning of Jianchuan Museum Town**
Anren, Sichuan

四川 安仁鎮

## 2003-

位於四川省成都市大邑縣的安仁鎮，以其二十世紀早中期建造的許多公館、庄園，而成爲中國知名文化古鎮。1960年代文化大革命時期，其中的劉氏庄園老公館還被用作全國性思想教育的基地，如今已成爲國家重點保護文物。當時特別爲這間公館製作的泥塑群，目前仍保留在此地，其著名的《收租院》泥塑作品，即是以地主劉文采在此公館中收租的場景爲原型創作的，目前也在公館中展覽。來自四川省會成都的開發商樊建川先生，也是一名收藏家，建川博物館即爲樊建川及開發公司自辦的文化機構，現有藏品十萬餘件，分爲文革、抗戰、老公館家具及筆筒四大類。樊建川委託非常建築及家琨建築師事務所進行總體規劃，擬將安仁鎮現有旅遊資源與建川博物館進行資源整合，建造一個以博物館爲主題的文化產業園區，包括二十間博物館，並進行安仁新鎮的開發。

此一綱領以及我們意欲達成的都市空間品質，引導了總體規劃的設計方法。我們將此案視爲一個人們可以在此生活和工作的新市鎮，而不只是爲了吸引來遊客，也因此，博物館群被策略性的規劃在住商單元之中。而歷史古城延伸增建的部分，我們採納了安仁當地的空間形態及象徵性。我們對安仁及其周遭的建築物空間結構、街道、魚塭、庄園以及農村房屋聚落進行分析，將特定的現存空間作爲樣板拼貼入基地之中，以達成類似的尺度及密度。其結果是有清楚定義的街道、街廓和建築織理，以及連繫交通用的人行步道及自行車道，但沒有傳統的分區規劃概念。此外，這樣的作法是對於愈來愈多的汽車及單體建築物支配了中國都市規劃的一種反抗。我們爲受邀設計各個博物館的建築師規劃出了一套設計指導方針，這些建築師是中國不同世代的建築師，另外也有幾位國外建築師，像是來自日本的磯崎新。

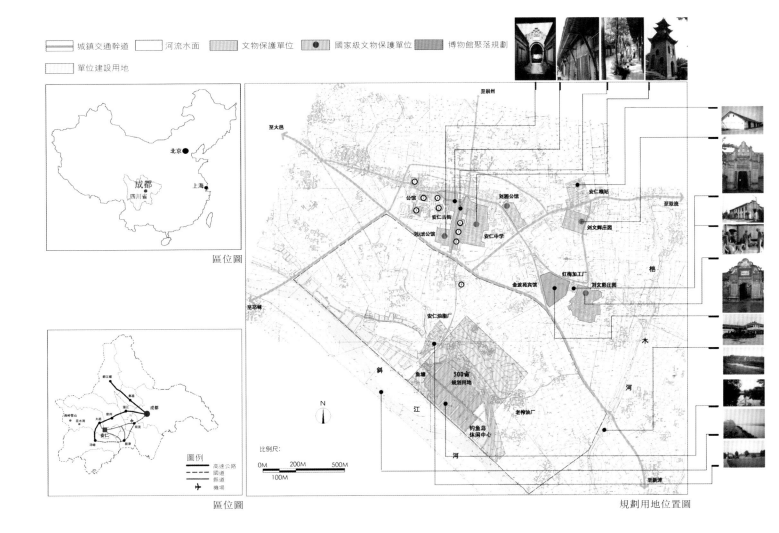

城鎮交通幹道　河流水面　文物保護單位　●國家級文物保護單位　博物館聚落規劃

單位建設用地

北京
成都
四川省
上海

區位圖

都江堰
彭縣
新縣
成都
溫江
雙流
安仁
新津

圖例
高速公路
國通
縣道
✦ 機場

區位圖

至大邑
至崇州
至雙流

公館
安仁古街
苑元壩公館
安仁中学
刘湘公馆
安仁機站
刘文輝庄園
红梅加工厂
金波苑宾馆
刘文彩庄园
安仁油脂厂
鱼塘
500亩
规划用地
老榨油厂
钓鱼岛
休闲中心

斜
江
河

楠
木
河

至邛崍
至新津

N

比例尺：
0M　200M　500M
100M

規劃用地位置圖

公共設施用地（C）

道路用地（S1）

廣場用地（S22）

停車場用地（S3）

市政公共設施用地（U）

綠地（G）

水域（E1）

周邊用地

規劃用地邊界

防洪堤

水面

規劃配建公共廁所

建築師分地片索引總圖

分區邊界與分區名

規劃建設用地

綠地

水域

周邊用地

規劃用地邊界

防洪堤

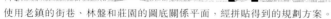

使用老鎮的街巷、林盤和莊園的圖底關係平面，經拼貼得到的規劃方案。

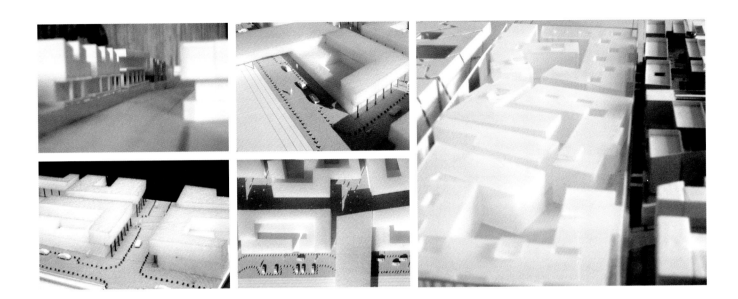

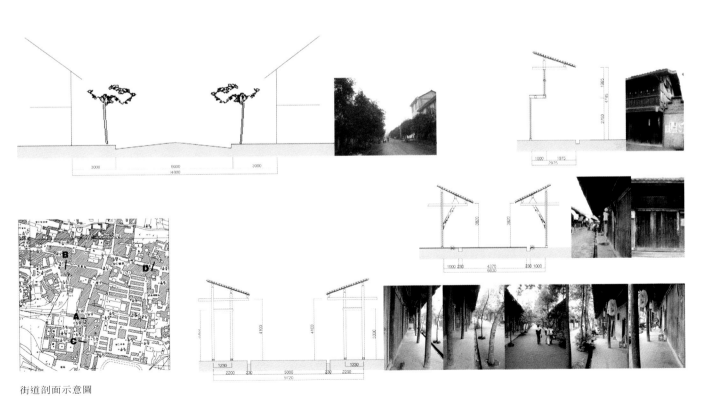

街道剖面示意圖

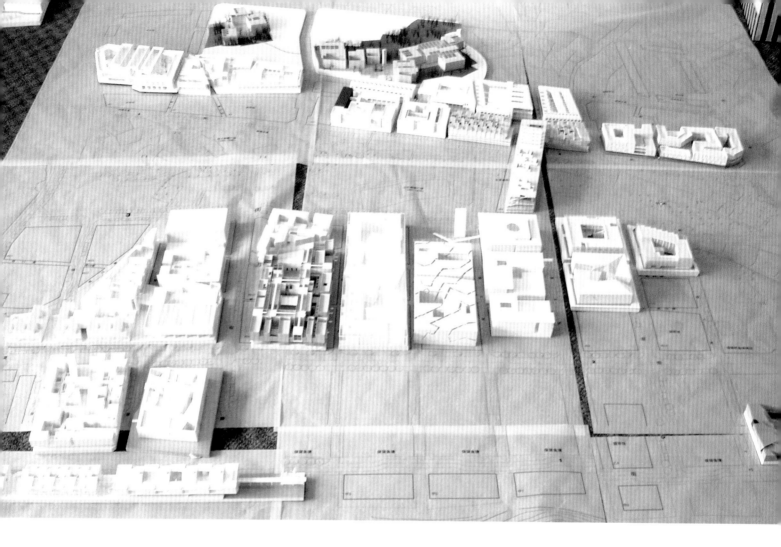

# 文革宣傳畫博物館及周邊商住

**Bridge Museum for Posters from the Cultural Revolution**
**Jianchuan Museum Town**
Anren, Sichuan

四川 安仁鎮

## 2003-

文革宣傳畫博物館是四川安仁建川博物館聚落規劃建設的博物館之一，同時也將作爲聚落中基礎設施的一部分：一座橋。博物館的藏品超過20000張的宣傳畫，並且這一數量還在不斷增長。由於橋與博物館二者功能的混合，博物館被更傾向於看作是一個城市公共空間而非一個私人的文化機構。

我們對於博物館橋的建築設計提供了三種過河的經驗：

1. 地面層保留視覺的連續性，使橋下空間與河道及兩岸的地形和景觀元素相聯繫。
2. 橋面層作爲交通空間，使人們可以穿行於博物館中過橋或在室外漫步過橋。街道與博物館重合。進入博物館的參觀者還會經過當地的一種民俗空間，茶館。
3. 屋頂層形成一個"花園"，由博物館的天窗形成了牆、院、亭三種不同空間。
4. 由於每層的地面都是與自然及人工的地形相關聯，因此沒有一層是平的。

博物館橋的結構是使用細的（直徑35cm）混凝土柱，應對不同的地形地質條件在形態上發生變化。建築的維護牆體是中空的輕質混凝土板與木板的複合牆體，以延續當地建築對木材的使用。

博物館周邊的商住建築爲連排式。由於沒有明確是作爲商業還是住宅使用，建築設計的策略是設計了自由的平面、臨街端部開敞的牆承重結構、集中式設備井以及可反轉的樓梯。

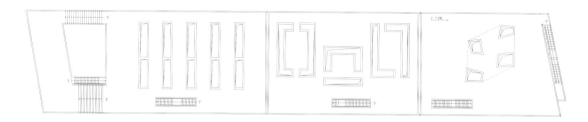

博物館屋頂平台平面圖

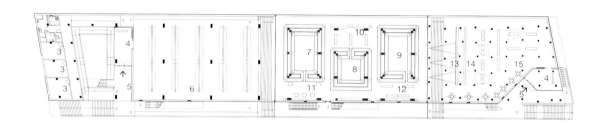

博物館二樓平面圖

1. 商鋪
2. 內院
3. 辦公室
4. 售票口
5. 入口
6. 展牆空間
6. 展牆空間
7. 第一展室
8. 第二展室
9. 第三展室
10. 大號展覽裝置
11. 中號展覽裝置
12. 小號展覽裝置
13. 投影牆
14. 銷售台
15. 展覽裝置空間

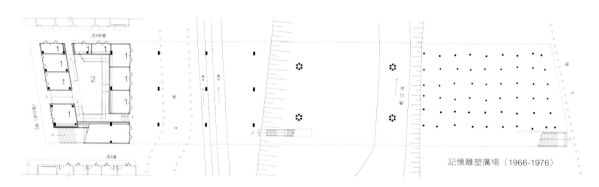

記憶雕塑廣場（1966-1976）

博物館一樓平面圖

0   5   10   15   20   25 m

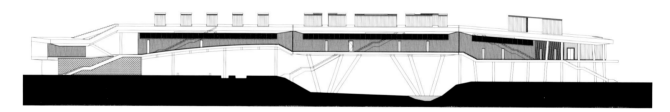

立面圖

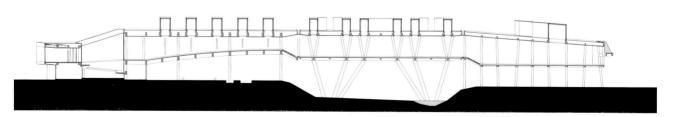

1-1 剖面圖

0   5   10   15   20   25 m

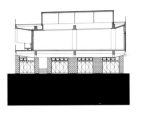

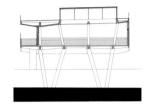

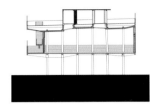

2-2 剖面圖        3-3 剖面圖        4-4 剖面圖

# 用友軟體園 1 號研發中心

**UFIDA R&D Center No.1**
Beijing

北京
## 2003-

用友軟體園1號研發中心工程位於海澱區上地開發區用友軟體園內，東臨騰南路，西臨濱河路，北側臨用友路，南側為內部用地。

辦公空間是研發中心的主體。本設計關注的是廣義上的辦公空間，涵蓋工作、休息和交流空間。根據任務書，明確定義的功能空間與未明確定義的空間面積比為1：1，後者包括交通和交流空間，該條件促使我們將傳統意義上的靠交通串起交流空間的模式轉化為去設計一個支援通過的交流空間體系；同時，基於對辦公建築以及IT產業辦公建築的研究、對用友現有研發模式的分析和歸納之上，本設計建立了三種空間模式單元來應對不同的團隊工作方式，亦即建立了三種工作與交流的關係，每一種模式都具有異於其他二者的屬性和空間特徵，針對研發人員不同的合作方式以及工作性質所要求的靈活性和獨立性。

對辦公空間的研究也構成了一個從裡到外的設計過程。最終，帶入外部環境條件後，1號研發中心的佈局定為三棟相互連通的南北向建築。三棟建築圍合出兩組庭院，由A棟與B棟圍合形成的庭院由三個圍合感較強、尺度也較小的院落構成；B棟與C棟之間的庭院強調東西向的貫通和整體。院落的出現帶來建築中的景觀面的增大。A棟、B棟、C棟在不同層分別容納了三種辦公空間模式。

1號研發中心的公共空間較為集中地設置於B棟底層。B棟底層空間由大的開敞空間和周邊的封閉小空間共同組成。900人餐廳分為兩個部分放置於開敞空間的兩端，均有良好朝向和景觀。中部的公共區域為研發中心創造了交流匯聚的場所和可能，非正式

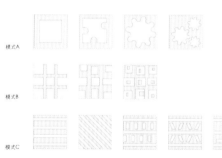

模式A

模式B

模式C

內部形態研

三種工作模式 三種空間組織

由若干本身易於移動的工作單元及保護物架構成底面裝有輪子。可以隨機能分布的變動變化小組的規模以及圍合區域和方式

由較為固定的置物架劃分出4米×4米的最小空間單元，之間通過軟質隔斷實現可分可合，各個組根據自身的規模和工作性質選擇單元間的拼接方式及單元數量。在臨近的公共區域設置屬於該組的討論區與休息區。

以單個院為最小空間單元。空間聯通的工值區與經過劃分的生活區都設置其中，由它們圍合出的院提供休息和非正式交流的空間。

私人區域
半公共區域
公共區域

形態一

模式A ＋ 模式B ＋ 模式C ↗

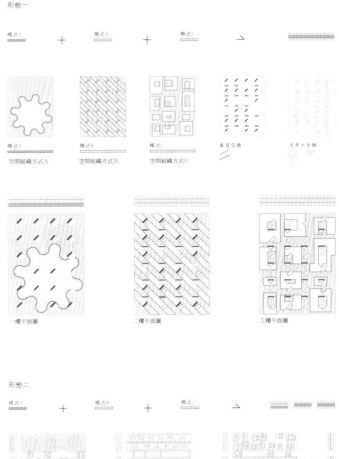

模式A 模式B 模式C 垂直交通 天井＋天窗

空間組織方式A 空間組織方式B 空間組織方式C

一樓平面圖 二樓平面圖 三樓平面圖

空間組織方式A__團體工作方式A 空間組織方式B__團體工作方式B 空間組織方式C__團體工作方式C

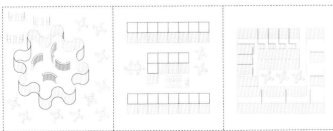

前期研究__為公模式研究

形態演變

一樓平面圖

二樓平面圖

三樓平面圖

建築形態分析

形態二

模式A ＋ 模式B ＋ 模式C ↗

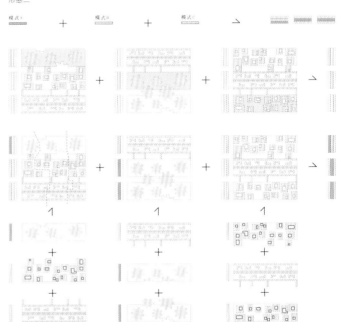

建築形態分析

的會客接待、咖啡廳也臨近佈置。沿周邊佈置的若干獨立式的小空間容納備餐、郵局、自助銀行等公共服務設施以及會客餐廳、會議室、培訓室等獨立空間。B棟一層提供的開敞空間也為園區提供了第三條穿行的室內路徑，可以服務於氣候不好的季節。

在平面的佈置中，工位區多布於建築中部；小型的獨立空間採取有頂蓋的低空間（如小會議室、討論室、高級專家辦公等等），分散佈置於建築周邊。獨立空間之間大量的間隙為內部工位區提供開啟扇和普遍光照。寬敞和充足的交流空間（同時作為交通空間），穿插於工作區域，避免不通風的死角，為內部區域帶來更多的心理舒適度和自然的通風。服務於員工的小咖啡廳均設置在有良好景觀、通風和採光之處。

在剖面和立面的設計中，充分考慮了利用風力和利用溫差兩種原理的自然通風。間隔設置的高窗和低窗的主要作用就在於自然通風和更有效的自然照明。夏季高低窗的結合支援空氣對流；冬季下旋小角度的高窗既支援換氣，又杜絕冷風直接吹進室內。三種不同的空間模式對應三種不同的表皮和立面做法。分別為：裡層大面積玻璃與外層木格柵遮陽；200×400混凝土砌塊牆體開方窗；400×90混凝土砌塊與玻璃磚混砌牆體開條形窗。立面設計因此直接反映了空間的邏輯。

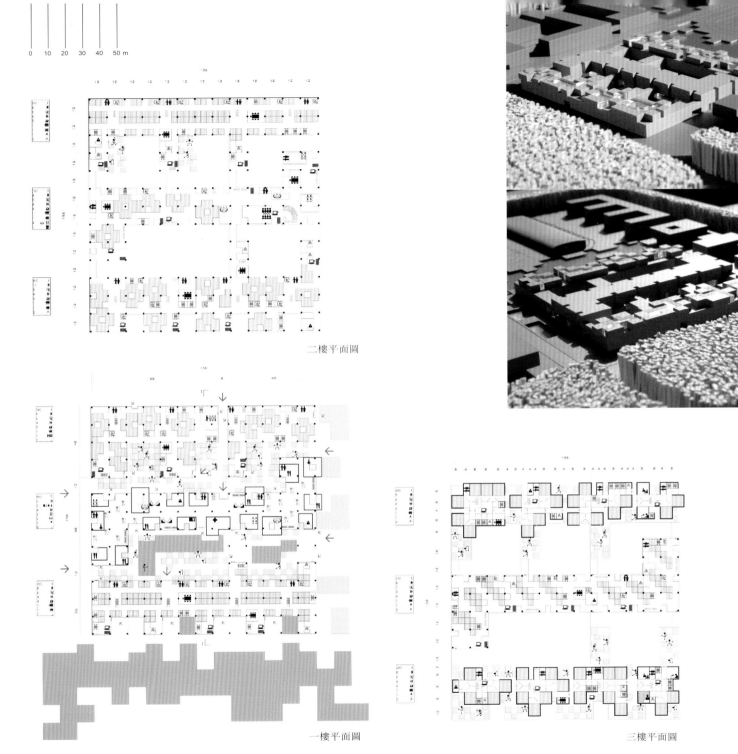

0 10 20 30 40 50 m

二樓平面圖

一樓平面圖

三樓平面圖

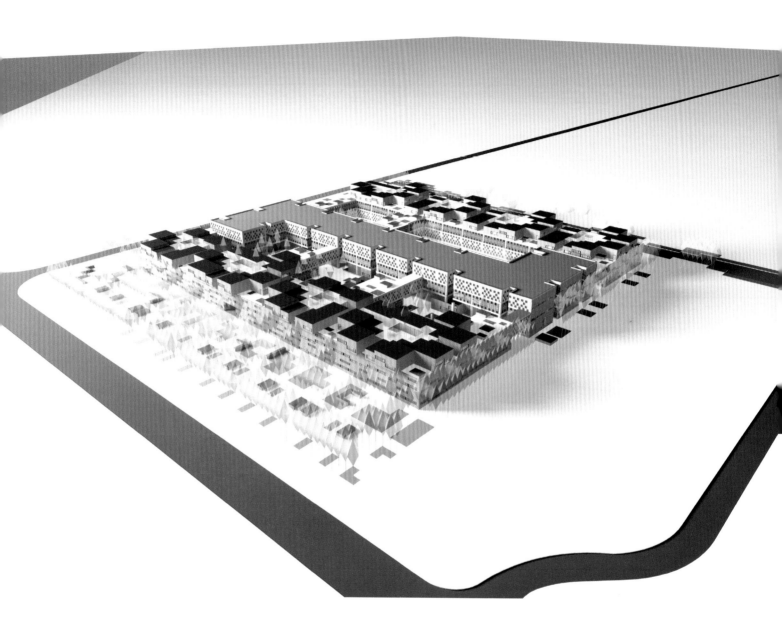

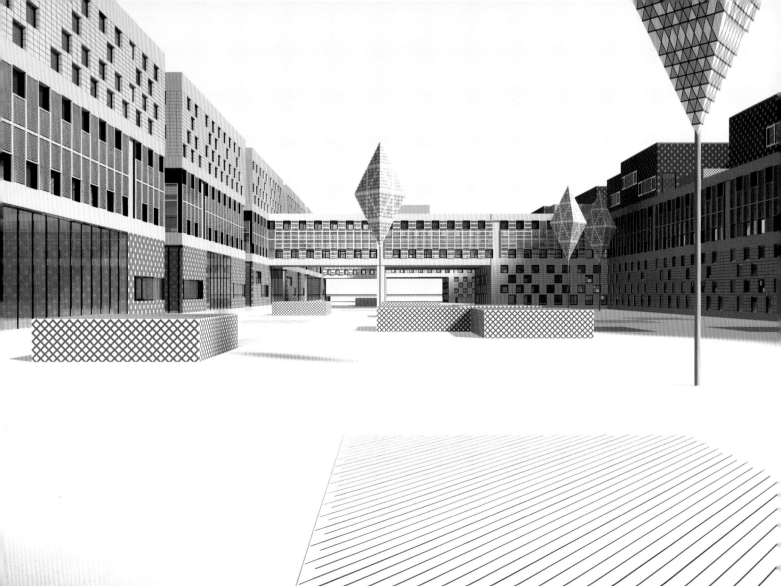

211

# 金華建築藝術公園
# 17號綜合空間

**Jinhua Architectural Park Pavilion #17**
Jinhua, Zhejiang

浙江　金華

# 2003-

金華建築藝術公園位於浙江省金華市金東新區三江六岸綠化帶中的重要一段，西起東關橋，東至康濟橋，長2200米，平均寬約80米，本工程爲公園中的一個子項，位於17號地。

## 設計說明：

金華建築藝術公園17號綜合空間在這裡對原初設想的一個功能一個空間的房子進行了拆分，建立了一組16個小房子和16個形態各不相同的小型空間，由這16個房子圍成整體又形成一個"大"的城市建築——中國傳統"坊"空間。在"坊"空間裡，街巷穿插，小房子之間相互聯繫又各自獨立，人們可以在這一個"坊"空間經歷16個小房子的空間體驗及"坊"本身的城市空間體驗。

16個小房子的外飾面是採用傳統的材料（細古望磚、蝴蝶瓦、麻刀抹灰）的"刺青花牆"。具體做法：磚條瓦條在白色抹灰中鑲嵌圖案。每個房子圖案各異。室內地面主要爲青磚鋪地。"坊"街區地面同樣爲青磚鋪地，"坊"周邊環路以及與公園道路相接的小徑採用青石板鋪砌。

房子與房間的差異性在這裡開始模糊……

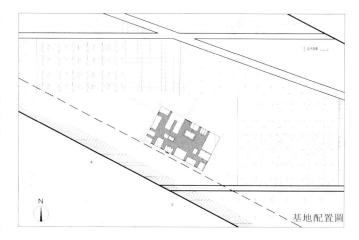

基地配置圖

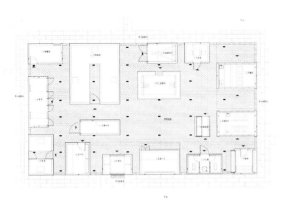

平面圖

0    5    10    15    20    25 m

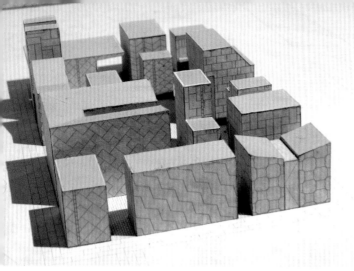

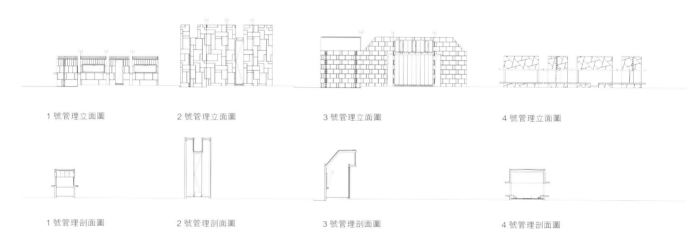

| 1 號管理立面圖 | 2 號管理立面圖 | 3 號管理立面圖 | 4 號管理立面圖 |

| 1 號管理剖面圖 | 2 號管理剖面圖 | 3 號管理剖面圖 | 4 號管理剖面圖 |

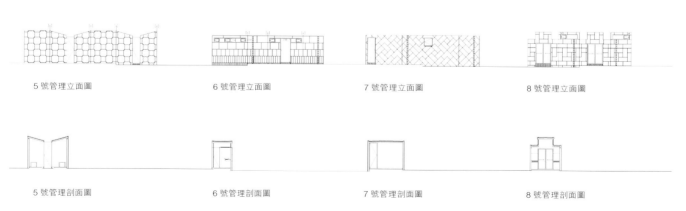

| 5 號管理立面圖 | 6 號管理立面圖 | 7 號管理立面圖 | 8 號管理立面圖 |

| 5 號管理剖面圖 | 6 號管理剖面圖 | 7 號管理剖面圖 | 8 號管理剖面圖 |

0   5   10   15   20   25 m

9 號管理立面圖　　　　　10 號管理立面圖　　　　　　　　　11 號管理立面圖　　12 號管理立面圖

9 號管理剖面圖　　　　　10 號管理剖面圖　　　　　　　　　11 號管理剖面圖　　12 號管理剖面圖

13 號管理立面圖　　　　　14 號管理立面圖　　　　　15 號管理立面圖　　　　　16 號管理立面圖

13 號管理剖面圖　　　　　14 號管理剖面圖　　　　　15 號管理剖面圖　　　　　16 號管理剖面圖

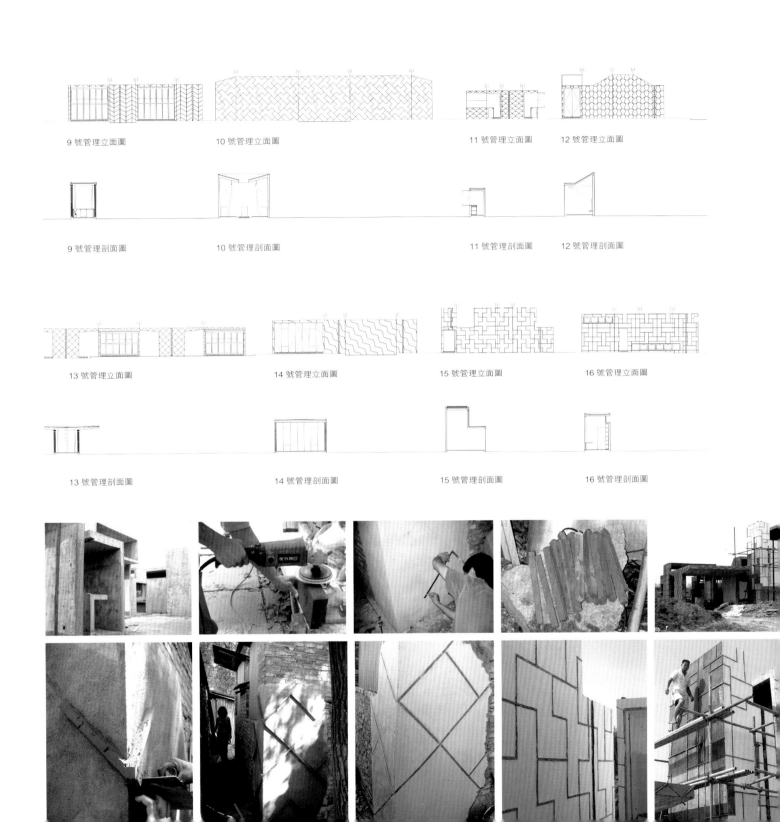

# 作品基本資料

## 北京席殊書屋，北京，1996

專案名稱：北京席殊書屋
工程地點：北京車公莊大街19號
建築面積：214平方米
設計時間：1996
建設狀況：已拆除
業主：席殊
建築設計：非常建築
設計主持人：張永和
專案組成員：尹一木、魯力佳等
攝影：曹揚

## 顛倒辦公室——康明斯亞洲總部，北京，1997

專案名稱："顛倒辦公室"——康明斯亞洲總部
工程地點：北京國貿大廈9層
建築面積：325平方米
設計時間：1997
建設狀況：已修改
業主：康明斯亞洲總部
建築設計：非常建築
設計主持人：張永和
專案組成員：尹一木、鮑力文、魯力佳等
攝影：曹揚

## 中國科學院晨興數學中心，北京，1998

專案名稱：中國科學院晨興數學中心
工程地點：北京市海澱區中關村東路55號
建築面積：2500平方米
設計時間：1997
業主：香港晨興集團 (MORNINGSIDE)、中國科學院晨興數學中心
建築設計：非常建築
設計主持人：張永和
專案組成員：劉宏偉、魯力佳、鮑力文、韓若為、王暉等
合作設計：中國科學院北京建築設計研究院
攝影：曹揚

## 山語間，北京，1998

專案名稱：山語間別墅
工程地點：北京郊區懷柔交界河山中
建築面積：380平方米
設計時間：1998
業主：紅石公司
建築師：非常建築
設計主持人：張永和
專案組成員：許義興、王暉、魯力佳等
合作設計：中昌盛建築工程事務所
攝影：付興、曹揚

## 水晶石電腦圖像公司辦公室，北京，1999

專案名稱：水晶石電腦圖像公司辦公室
工程地點：北京月壇北街三河一區2號
建築面積：622平方米
設計時間：1999
業主：北京水晶石電腦圖像公司
建築師：非常建築
設計主持人：張永和
專案組成員：魯力佳、王暉、許義興等
合作設計：北京中建恆基工程設計有限公司
攝影：曹揚

## 北京大學（青島）國際會議中心，青島，2001

專案名稱：北京大學（青島）國際會議中心
工程地點：青島嶗山區嶗山路4號
建築面積：5044平方米（其中會議中心3300 平方米）
設計時間：1999-2000年
業主：北京大學、青島市政府
建築設計：建學建築與工程設計所非常建築工作室
設計主持人：張永和
專案組成員：王暉、張路峰、彭樂樂、王欣、許義興、于露、王忠祥、黃竣等
結構工程：孫芳垂、俞志雄等
攝影：曹揚

## 重慶西南生物工程產業化中間試驗基地，重慶，2001

專案名稱：西南生物工程產業化中間試驗基地
工程地點：重慶南岸經濟開發區
建築面積：8075 平方米
設計時間：2000年
業主：藍血科技投資管理有限公司
建築設計：建學建築與工程設計所非常建築工作室
設計主持人：張永和
專案組成員：彭樂樂、吳雪濤、王暉、李慧、張路峰等
結構工程師：孫芳垂、俞志雄等
攝影：付興

## 遠洋藝術中心，北京，2001

專案名稱：遠洋藝術中心
地點：北京東四環東八 瑜覩@號
建築面積：2900平方米
設計時間：2001年
業主：中遠房地產開發公司
建築設計：建學建築與工程設計所非常建築工作室
設計主持人：張永和
專案組成員：吳雪濤、王暉、魏冰、杜錦莉等
結構工程師：俞志雄
攝影：曹揚

## 北京大學核磁共振實驗中心，北京，2001

專案名稱：北京大學核磁共振實驗中心
工程地點：北京大學原燕大鍋爐房
建築面積：1200平方米
設計時間：2001年
業主：北京大學
建築設計：非常建築
設計主持人：張永和
專案組成員：王暉、于露、戴長靖等
合作設計：中昌盛建築工程事務所
攝影：曹揚

四合廊宅，北京，2001-
工程名稱：四合廊宅
工程地點：北京東城報房胡同
建築面積：35110平方米
設計時間：2001年
業主：北京永興房地產開發有限公司
建築設計：建學建築與工程設計所非常建築工作室
設計主持人：張永和
專案組成員：吳雪濤、尚荔、蔡培祥、杜錦莉、張宇等

五常總體規劃案，杭州五常，2000-
專案名稱：杭州五常總體規劃
工程地點：杭州五常鄉
基地面積：1761668平方米
設計時間：2001年
業主：杭州五常高新科技園區有限公司
規劃及建築設計：非常建築
設計主持人：張永和
專案組成員：蔡培祥、王欣、敬湧、杜錦莉、黃竣、董臨熙、黃源等

柳沙總體規劃案，南寧，2002-
專案名稱：南寧柳沙總體規劃
工程地點：南寧柳沙洲半島
基地面積：1865000平方米
設計時間：2001年
業主：廣西協和房地產開發有限責任公司
規劃及建築設計：非常建築
設計主持人：張永和
專案組成員：蔡培祥、王欣、黃竣、羌越等

二分宅，北京延慶，2002
專案名稱：二分宅（長城腳下的公社11號住宅）
工程地點：北京延慶水關長城
建築面積：449平方米
設計時間：2002年
業主：紅石公司
建築設計：非常建築
設計主持人：張永和
專案組成員：劉向暉，陸翔，Lucas Gallardo，王暉，許義興等
合作設計：北京新世紀建築工程事務所
攝影：淺川敏、付興、曹揚

石排鎮政府辦公大樓，廣東東莞，2002
工程名稱：東莞石排鎮政府辦公樓
工程地點：廣東東莞石排鎮政府廣場
建築面積：17950平方米
設計時間：2001年
業主：廣東東莞石排鎮政府
建築設計：非常建築
設計主持人：張永和
專案組成員：許義興、張路峰、王暉、于露、王欣、戴長靖等
合作設計：廣州市白雲建築設計院有限公司
攝影：Laurent Gutierrez, Valerie Portefaix

蘋果社區銷售接待中心．美術館，北京，2003
工程名稱：蘋果社區售樓處．美術館
工程地點：北京東三環路東白子灣路南蘋果社區內
建築面積：2800平方米
設計時間：2003年
業主：今典集團
建築設計：非常建築
設計主持人：張永和、王暉
專案組成員：王欣、敬湧、于露、戴長靖等
合作設計：北京意社建築設計諮詢有限公司
攝影：梁思聰等

河北教育出版社，河北石家莊，2004
工程名稱：河北教育出版社綜合樓
工程地點：河北石家莊聯盟路705號
建築面積：16800平方米
設計時間：1999-2004年
業主：河北教育出版社
建築設計：建學建築與工程設計所非常建築工作室
設計主持人：張永和
專案組成員：許義興、劉向暉、張路峰、王暉、于露、戴長靖、王兆銘、李慧等
合作設計：北京中昌盛建築設計公司
建築面積：16800平方米
攝影：舒赫、付興、梁思聰等

柿子林會館，北京，2004
工程名稱：柿子林會館
工程地點：北京昌平十三陵萬娘墳
建築面積：4800平方米
設計時間：2003年
業主：今典集團
建築設計：非常建築
設計主持人：張永和、王暉
專案組成員：王欣、敬湧、鍾鵬、于露、戴長靖、黃竣等
合作設計：北京意社建築設計諮詢有限公司
攝影：付興等

達里諾爾自然保護區宣傳教育中心，內蒙古達里諾爾，2004
工程名稱：達里諾爾自然保護區宣傳教育中心
工程地點：內蒙古自治區赤峰克什克騰旗達里諾爾自然保護區
建築面積：1500平方米
設計時間：2003年
業主：加拿大農業諮詢有限公司，內蒙古自治區赤峰克什克騰旗人民政府
建築設計：非常建築
設計主持人：張永和
專案組成員：馮國安、王暉、于露、戴長靖等
合作設計：北京意社建築設計諮詢有限公司，北京中建恆基工程設計有限公司
攝影：楊潮

泉州中國當代美術館，泉州，1998-
專案名稱：泉州中國當代美術館
工程地點：泉州市清源山梅岩區域
建築面積：2000平方米
設計時間：1999-2005年
業主：蔡國強先生
建築設計：非常建築
設計主持人：張永和
專案組成員：Joost Verstraete，許義興，王欣，何哲等

三湖出版社，韓國坡州，2000-

專案名稱：韓國坡州三湖出版社
工程地點：韓國三湖
建築面積：2895平方米
設計時間：2002-2005年
業主：韓國三湖出版社
建築設計：非常建築
設計主持人：張永和
專案組成員：尚荔，Lucas Gallardo，杜鵑，Connie Y. Chang，劉向暉
合作設計：韓國履露齋建築設計事務所

淞山湖工業設計大廈，廣東東莞，2002-

工程名稱：東莞松山湖工業設計大廈
工程地點：廣東東莞松山湖科技產業園區
建築面積：27116平方米
設計時間：2002年
業主：廣東東莞松山湖科技產業園區管委會
建築設計：非常建築
設計主持人：張永和
專案組成員：劉揚、何哲、蔡培祥、張宇、王暉、于露、戴長靖等
合作設計：北京意社建築設計諮詢有限公司、廣州市白雲建築設計院有限公司
攝影：舒赫、張永和

吉首大學綜合科研教學樓及黃永玉博物館，湖南吉首，2003-

專案名稱：吉首大學綜合科研教學樓及黃永玉博物館
工程地點：湖南省吉首市
建築面積：25727平方米（教學樓：22033 M2，黃永玉博物館：3694 M2）
設計時間：2003年11月至2004 年4月
業主：吉首大學、黃永玉先生
建築設計：非常建築
設計主持人：張永和
專案建築師：陳龍
專案組成員：胡憲、張波、何慧珊、倪建輝等
合作設計：北京意社建築設計諮詢有限公司、北方漢沙楊建築工程設計有限公司

鋼格柵宅──中國國際建築藝術實踐展17＃，南京，2003

專案名稱：中國國際建築藝術實踐展17＃──鋼格柵宅
工程地點：江蘇省南京市珍珠泉南片區佛手湖北側中莊水庫
建築面積：470平方米
設計時間：2003年10月至2004年12月
業主：南京佛手湖建築藝術發展有限公司
建築設計：非常建築
設計主持人：張永和
專案建築師：陳龍、劉揚
專案組成員：劉魯濱、賈蓮娜等
合作設計：北京意社建築設計諮詢有限公司、北方漢沙楊建築工程設計有限公司
結構顧問：劉鳳閣、常強（清華大學建築設計研究院）

建川博物館聚落總體規劃，四川安仁鎮，2003-

專案名稱：安仁建川博物館聚落控制性詳細規劃
工程地點：中國‧四川省‧成都市‧大邑縣‧安仁鎮
規劃面積：33.4萬平方米
設計時間：2003年8月～2004年4月
業主：四川安仁建川文化產業開發有限公司
規劃及建築設計：非常建築▪家琨建築設計事務所
設計主持人：張永和、劉家琨
專案建築師：陸翔（非常建築）
專案組成員：尚荔、賈蓮娜（非常建築），錢坤（家琨建築設計）等

文革宣傳畫博物館及周邊商住，四川安仁鎮，2003-

專案名稱：安仁建川文革宣傳畫博物館及周邊商住
工程地點：中國‧四川省‧成都市‧大邑縣‧安仁鎮
建築面積：博物館1806平方米，博物館室外公共空間2732平方米，商住3666平方米
設計時間：2003年10月至2005年1月
業主：四川安仁建川文化產業開發有限公司
建築設計：非常建築
設計主持人：張永和
專案建築師：陸翔、劉楊
專案組成員：尚荔、張波、劉魯濱等
合作設計：北京意社建築設計諮詢有限公司、北方漢沙楊建築工程設計有限公司

用友軟體園I號研發中心，北京，2003-

專案名稱：用友軟體園I號研發中心
工程地點：北京市海澱區上地開發區用友軟體園
建築面積：46122平方米
設計時間：2003年11月－至今
業主：用友軟體股份有限公司
建築設計：非常建築
設計主持人：張永和
專案建築師：賈蓮娜、劉揚
專案組成員：陳龍、白晨、郝爽、楊菁等
合作設計：北方漢沙楊建築工程設計有限公司

金華建築藝術公園17號綜合空間，浙江金華，2003-

專案名稱：金華建築藝術公園17號綜合空間
工程地點：浙江金華市金東新區，金華建築藝術公園17#地
建築面積：146平方米
設計時間：2004年
業主：浙江金華市金東新城區建設委員會
建築設計s：非常建築
設計主持人：張永和
專案組成員：尚荔、何哲、劉揚等
合作單位：北京意社建築設計諮詢有限公司、北方漢沙楊建築工程設計有限公司

# 著作

## 中文著作 / 張永和 著

〈自行車的故事〉，《新建築》1，10/1983,83-84。
〈匡溪行〉，《建築師》25,6/1986,184-191。
〈自行車的故事〉，《建築畫》4，1987,22。
〈太平洋彼岸的來信〉（黃土均譯並著前言），《新建築》20,3/1988,75-79。
〈試論建築與文化〉，《建築師》29,6/1988,10-13。
/D道茲 /M威廉姆斯，〈電影與建築〉，《環境藝術》1，6/1988,19-23。
〈談在美國建築教育中我所看到的三個問題〉，《新建築》22,1/1989,70-72。
〈思想的過程與過程的思想－尋找新建築〉，《中國建築－評析與展望》，天津：天
津科學技術出版社，4/1989,42-44。
〈採訪彼德‧埃森曼〉，《世界建築》64.2/1991,70-73。
〈清溪坡地住宅群〉，《世界建築》88,2/1996,57-59。
〈策劃家居〉，《建築師》70,6/1996.83-86。
〈北京席殊書屋〉，《建築師》72，10/1996，封面，封二。
《非常建築》，當代中國名家建築創作與表現叢書，哈爾濱：黑龍江科技出版社，
1997。
〈文學與建築〉，《讀書》222,9/1997,68-72。
〈墜入空間〉，《讀書》223,10/1997,30-35。
〈南昌席殊書屋〉，〈虎門旅館〉，《青年建築師作品選集1927-1997》，東南大學
建築系理論與創作叢書，北京：中國建築工業出版社，10/1997,36-51。
〈美國康明斯公司亞洲總都國貿辦公室〉，〈北京席殊書屋〉，〈南昌席
殊書屋〉，《中國當代室內設計精粹》，北京：中國建築工業出版社，
1/1998.68-71,224-229。
〈策劃家居〉，〈文學與建築〉，〈墜入空間〉，《中國當代先鋒藝術家隨筆選》，
北京：中國社會科學出版社，5/1998,131-153。
〈文學與建築〉，《讀書》232.7/1998,83-89。
〈平常建築〉，《建築師》84,10/1998,27-37。
〈中國科學院晨興數學中心〉"，《建築師》84,10/1998，封面及二彩頁。
譚平、甘一飛，《概念藝術設計》，當代中國藝術與設計叢書，青島：青島出版
社，1999。
〈自行車與象形字－尋找建築中的中國概念〉，《當代藝術與人文科學》，長沙：湖
南美術出版社，1/1999.165-171。
〈張永和〉，《中國建築師》，北京：當代世界出版社，1999/6,292-293。
〈泉州中國小當代美術館〉，《建築師》89,8/1999,彩頁。
〈山語間別墅〉，《Dialogue建築》031,11/1999.58-61。
〈小城市〉，《今日先鋒》8,1/2000,9-15。
《張永和－非常建築工作室-1》特集，南寧：廣西美術出版社，6/2000。
《張永和-非常建築工作室-2》特集，南寧：廣西美術出版社，6/2000。
〈威尼斯雙年展－第七屆國際建築展2000〉，《建築師》94,6/2000，封面，封二，
封三，封四，封五。
張路鋒，〈向工業建築學習〉，《世界建築》121,7/2000.22-23。
〈建築威尼斯〉，《時尚家居》12,11/2000,14-16。
方振寧，〈世紀之交的中國建築話題〉，方振寧（東京）VS張永和（北京）。
《水晶石建築報導》，北京：知識產權出版社，2000/12,14-18。
〈寄生書：建築視覺語言：短城市〉，《視界》2,1/2001,3-203。
吳雪濤，〈遠洋藝術中心〉，《時代建築》62,4/2001.30-33。
〈關於建築教育〉，《建築師》98,4/2001.14-19。
栗憲庭，〈建築是不適合幽默的，張永和VS栗憲庭〉，《藝術世界》，
5/2001,34-37。
〈北京大學建築學研究方向（提綱）〉，《建築學報》398,10/2001,24。
〈（牆）上下住宅〉，北大建築1，北京：中國建築工業出版社，10/2001。
〈楠溪江'芙蓉關〉，《Dialogue建築》052,10/2001,66-71。
方振寧，〈新住宅運動：中國建築新的地平〉，《走向新住宅》，北京：中國建築
工業出版社，2001/11,113-118。
〈張永和〉，《中國當代藝術家招貼作品集》，長沙：湖北美術出版社，
12/2001,42-43。
〈張永和‧非常建築工作室〉，《青年建築師－中國》330，北京：知識產權出版
社，12/2001.11-21。

〈對建築教育三個問題的思考〉，《時代建築》60，增刊 ■2001.40-42。
栗憲庭，〈建築是不適合幽默的，張永和VS栗憲庭〉，《面對面》，上海：上海文
藝出版社，1/2002,119-129。
〈二分宅〉，《長城腳下的公社》，天津：天津社會科學院出版社，
8/2002,142-149。
〈竹海三城〉，《半島第一章》，香港：香港建築業報導出版社，9/2002,70-111。
〈基本建築動詞化〉，《Dialogue建築》062,9/2002,44-47。
〈平常建築〉，貝森文庫－建築界叢書，北京：中國建築工業出版社，10/2002。
〈二分宅〉，《設計新潮》，10/2002,42-45。
〈時間城市，又及超薄城市〉，《32北京 ■紐約》1，2003,11。

## 英文著作 / 張永和 著

"Bachelor Apartment", *Sinkenchiku* Vol. 62/1, 1/1987, 262-263.
"Bachelor Apartment", *The Japan Architect* 358 Vol.62/2, 2/1987, 34-35.
"Voyeurism Towards Architecture: Five Movements", *Concrete* (export) No. 2, Fall 1991, 2-7.
"Another Glass House", *The Japan Architect* Vol.5, 1/1992, p58-59.
"Kinderwindowgarden", "Kinderwallgarten", *Korean Architects* 129, 5/1995, 22- -31.
"1996 P/A Awards - Citation: Housing in China", *Progressive Architecture*, 5/1996, 144-147.
"New Generation of Architecture -Yung Ho Chang", *Space,* Vol. 338, 12/1995, 90-97.
"Yuan", *Slow Space*, New York: Monacelli Press, 1998, 346-359.
"Xishu Bookstore, Beijing, 1995", *Design Book Review* 39, 1998, 32-33.
"#06 Beijing / Yung Ho Chang", *The Mirage City: Another Utopia*, Tokyo: NTT, 1998, 398.
"Sliding/Folding/Swing Door", "Atelier FCJZ", *AA Files 36*, 1998, inner cover, 64, 68.
/ Hou Hanru, "Micro-Urbanism", *Flash Art Vol. XXXII No. 209*, 11-12/1999, 73-74.
"Practice in Beijing", *Asian Architecture Research - Reading the Asian Architecture: Trans-Architecture / Trans-Urbanism*, Tokyo: INAX, 12/1999, 291-293.
"Yung Ho Chang", *7th International Architecture Exhibition LESS AESTHETICS MORE ETHICS - la Biennale di Venezia*, Venezia: Marsilio Editori s.p.a., 2000, 62-65.
"Morning Center of Mathematics, Chinese Academy of Sciences", *International Architecture Yearbook Millennium Edition No.6*, Mulgrave: Images, 2000, 136.
"Urbanizing Bamboo", a+t 16, 2000, 90-95.
/ Stanley Collyer, "Yung Ho Chang", *Competitions,* Vol. 10 No. 4, winter 2000/2001, 38-45.
"Dense Urbanism and Miniature Cities", *Asian Architects 2*, Singapore: Select, 2001, 192-207.
"Atelier Feichang Jianzhu Beijing", *TU MU Young Architecture of China*, Berlin: Aedes East Forum, 2001, 30-37.
"Atelier Feichang Jianzhu Yung Ho Chang - Urbanizing Bamboo", *Monitor 6*, 2001/2, 82.
/ Wang Jian-Wei, "Art / Architecture / Science", *Bridge the Gap?*, Kitakyushu: Center for Contemporary Art, 2002, 399-411.
"Chang", *Next - 8th International Architecture Exhibition - la Biennale di Venezia*, Venezia: Marsilio Editori s.p.a., 2002, 82.
"Biomedical Institute in Chongqing", *Detail*, 1-2/2002, 76-78.
"Time City, ps Thin City", *32 Beijing New York 1*, 2003, 24.
"Split House", *Space Vol. 422*, 1/2003, 124-127.
/ Hans Ulrich Obrist, "Chang Yung Ho in Conversation with Hans Ulrich Obrist", *Camera*, Paris: Paris Musees, 2003, 22.

## 中文著作

### 關於張永和 / 非常建築 的著作

戴曉華，〈席殊朽屋〉，《新建築》54,1/1997,443。

吳迪，〈非常張永和〉，《時尚伊人》29,8/1997,4-8。

王明賢 ■史建，〈九十年代中國實驗性建築〉，《文藝研究》，1/1998,118-127。

王明賢，〈邊緣與主流的對話:中國大陸青年建築師的實踐〉，《Dialogue建築》013,4/1998,66-73。

殷一平，〈看得見風景的房間〉，《時尚家居》62,6/1999,89-95。

史建，〈建築：動詞——張永和訪談錄〉，《今日先鋒》8,7/1999,41-54。

〈詮釋北京建築—張永和〉，《空間》Vol.14,2/2000,110-112。

方振寧，〈'竹化城市'計劃〉，《藝術家》302,7/2000,358-371。

方振寧，〈北京鏈接：新媒體與當代建築〉，《藝術家》305,10/2000,436-451。

黃篤 ■冰逸，〈張永和〉，《後物質—當代中國藝術家解讀日常生沽》，北京：世界華人藝術出版社，10/2000,20-23。

侯瀚如，〈張永和〉，《上海雙年展2000》，上海：上海書畫出版社，11/2000,22-25。

〈張永和：住宅的漫游之城〉，《三聯生活周刊》，30/6/2000, No.12/2000. N0.114.22-24。

阿憶，〈張永和—非常與平常〉，《誰在説》，天津：百花文藝出版社，3/2001,351-383。

王明賢，〈建築的實驗〉，《時代建築》55,4/2001,8-11。

彭怒探訪，〈'安靜'vs'建造'與不懈的實驗之間〉，《時代建築》55,4/2001,20-25。

汪原，〈解讀'非常建築'〉，《新建築》77，4/2001,73-75。

劉瓊雄，〈張永和：人的城市 人的建築〉，《城市畫報》，9/2001,36-37。

楊永生，〈張永和〉，《中國四代建築師》，北京：中國建築工業出版社，1/2002,113-114。

劉釭等，〈張永和〉，《終結開始—中國當代藝術家言談錄》，長沙：湖南美術出版社，1/2002,32-37。

名可，〈剖面建築與地層景觀—簡評北京大學（青島）國際會議中心〉，《時代建築》64,2/2002,34-39。

野卜，〈亞洲建築師走廊一期工程評論〉，《時代建築》65,3/2002,42-47。

Con Art，〈'知識分子'張永和〉，《現代藝術》，4/2002,86-88。

柳亦春，〈窗非窗、牆非牆—張永和的建造與思辯〉，《時代建築》67,5/2002,40-43。

邱茂林，〈訪張永和：北京大學建築學研究中心主任教授〉，《Dialogue建築》058,5/2002.104-113。

舒可文等，〈5月，所謂M會議〉，《三聯生活周刊》，27/5/2002,No.21/2002, No.193,66-71。

野卜 ■張潔，〈從材料角度分析—二分宅〉，《時代建築》68,6/2002,48-51。

## 英文著作

### 關於張永和 / 非常建築 的著作

Wang Mingxian / Shin Muramatsu, "Zhang Yonghe", *581 Architects in the World*, Tokyo: TOTO, 1995, 516.

John Morris Dixon, "Exporting Architecture", *Progressive Architecture*, 1/1995, 25-28.

Shin Muramatsu, "Yung Ho Chang", *Asian Style*, Tokyo: Taisei, 3/1997, 38-47.

Jonathan Hill, "Ke Da Ke Xiao / Mei Da Mei Xiao", *AA Files 36*, 1998, 63-69.

Nicola Turner, "Compact solutions", *World Architecture 67*, 6/1998, 69.

Laurent Gutierrez / Valerie Portefaix, "Atelier Feichang Jianzhu - Cing projets de Yung-Ho Chang", *l'architecture d'aujourd'hui 326*, 2/1999, 94-99.

Dong Yugan, "Yung Ho Chang, Song Dong - Border to 'Borderline'", *Scattered Images Dokumente zur Architektur 11*, Graz: HDA, 10/1999, 48-61.

Miguel Ruano, "Works and projects - Strangers in... paradise?", *2G International Architecture Review 10*, 11/1999, 30-87.

Carolee Thea, "The Extreme Situation is Beautiful, an Interview with Hou Hanru", *Sculpture* Vol.18 No. 9, 11/1999, 30-37.

Shin Muramatsu, "Yung Ho Chang", *10 + 1* No. 22, 2000, 124-125.

Eduard Koegel, "Three Projects", *archis*, 6/2000, 22-29.

Valerie Portefaix, "Urban Renewal", *Perspective*, 8-9/2000, 38-45

Martina Koeppel-Yang, "Yung Ho Chang und das Atelier FCJZ", *Living in Time*, Berlin: S M P K, 2001, 50-53.

Pan Jianfeng, "Architect Chang Yung Ho", *Made in China*, Manchester: Chinese Art Centre, 2001, 23-34.

Eduard Koegel / Ulf Meyer, "Positions Far from the Architectural Crowd", *TU MU Young Architecture of China*, Berlin: Aedes East Forum, 2001, 12-15.

Tom Heneghan, "'Pacific Rim' Conference", *a+u* 01:05 368, 5/2001, 134-136.

Shinji Sonoda, "Chang Yung Ho - Tradition and Conversion into Material", *a+u* 01:05 368, 5/2001, 138.

Ulf Meyer, "Biomediziniches Labor in Chongqing", *Bauwelt* 35/01, 9/2001, 24-27.

Katy Greaves, "Off the Wall", *Blueprint*, 188, 10/2001, 54-56.

Derrick Chan, "(Urbanising Bamboo:) 44 min.: FCJZ/CYH", *ish* 3.2, 2/2002, 90-93.

Hou Hanru, "Looking for a place, for yourself, and for all the others", *Camera*, Paris: Paris Musees, 2003, 13-17.

Laurent Gutierrez / "Project for the 21st Century", *Camera*, Paris: Paris Musees, 2003, 29-33.

# 簡歷　張永和

1956　　生於北京
1978-81　南京工學院（現東南大學）建築系
1983　　美國保爾州立大學建築系，獲環境設計理學士（榮譽畢業）
1984　　美國加州大學柏克萊分校建築系，獲建築碩士學位
1985-88　任教於美國保爾州立大學建築系
1988-90　任教於密西根大學
1989　　美國註冊建築師
1990-92　任教於美國加州大學柏克萊分校建築系
1992-93　赴歐旅遊
1993-　　和魯力佳共同成立非常建築工作室
1993-96　任教於美國萊斯大學
1996-　　回到北京執業
1999-　　成立北京大學建築學研究中心，擔任主任、教授
2002-　　於耶魯、普林斯頓、SCI-ARC、香港中文大學、Berlage Institute、台北當代藝術館、
　　　　哈佛、康乃爾、西雅圖Space.City、紐約建築聯盟等地授課
**目前擔任**　非常建築工作室主持建築師、美國麻省理工學院（MIT）建築學院系主任、教授

---

## 張永和／非常建築　主要完成設計作品

1996　　席殊書屋，北京
1997　　美國康明斯公司亞洲總部，北京
1998　　中國科學院晨興數學中心，北京
　　　　山語間，北京
2000　　西南生物工程產業化中間試驗基地，重慶
2001　　遠洋藝術中心，北京
　　　　北京大學(青島)國際學術中心，青島
　　　　北京大學核磁共振實驗室，北京
2002　　水關長城公社"二分宅"，北京
　　　　石排鎮政府廣場及辦公大樓，廣東東莞
2003　　蘋果社區售樓處／美術館，北京
　　　　河北教育出版社辦公樓，石家莊
2004　　北京柿子林會所，北京
2004　　內蒙古達 婍桗艇芮A保護區觀鳥中心，內蒙古達 婍桗腹A（施工中）
2004　　淞山湖生產力大廈，廣東東莞，（施工中）

## 個展

1999　　美國紐約尖峰藝術"街戲"
2002　　美國哈佛大學設計研究院 "丹下展"

## 二人及三人展

2003　　法國巴黎市現代藝術博物館"影室"建築/影像三人展，與汪建偉、楊福東合
　　　　作
2004　　日本"間"畫廊"承孝相、張永和展"

## 主要聯展

1997　　第二屆韓國光州雙年展
1997-99　"運動中的城市"展，維也納、紐約、曼谷、丹麥、倫敦、赫爾辛基，其中
　　　　主持展覽設計：維也納分離派美術館、路易斯安那現代美術館

1998　　英國倫敦AA建築學院"可大可小"亞洲建築三人展
1999　　國際建築師協會第20屆大會中國青年建築師作品展
2000　　第七屆威尼斯建築雙年展
　　　　第三屆上海國際雙年展
2001　　柏林德國國家畫廊當代藝術館"生活在此時"藝術展，並主持展覽設計
　　　　柏林AEDES "土木" 年輕中國建築展
2002　　第四屆韓國光州雙年展，並參與主持展覽設計
　　　　第八屆威尼斯建築雙年展
2003　　第五十屆威尼斯藝術雙年展
　　　　法國巴黎龐畢度文化中心"間"中國當代藝術展

## 博物館收藏

2003　　六箱建築，中國美術館，北京
　　　　戲臺，何香凝美術館，深圳

## 主要著作／作品集

1997　　《非常建築》，黑龍江科技出版社，哈爾濱
2002　　《平常建築》，中國建築工業出版社，北京
2003　　*Yung Ho Chang / Atelier Feichang Jianzhu: A Chinese Practice*, MAP出版
　　　　社，香港
2004　　Seung, H-sang, Yung Ho Chang - Works:10x2, TOTO出版社，東京
2006　　《建築「動詞」張永和／非常建築作品集》，田園城市，台北

## 主要獲獎　／　榮譽

1986　　日本新建築國際住宅設計競賽一等獎第一名
1992　　美國紐約建築聯盟青年建築師論壇獎
1992　　美國聖路易斯華盛頓大學史戴得曼建築旅行研究金大獎
1996　　美國"進步建築"表彰獎
2000　　聯合國教科文組織藝術推動獎（表彰在視覺藝術領域突出和有創造性成就）
2002-03　哈佛大學設計研究院丹下健三教授教席

歷年記事

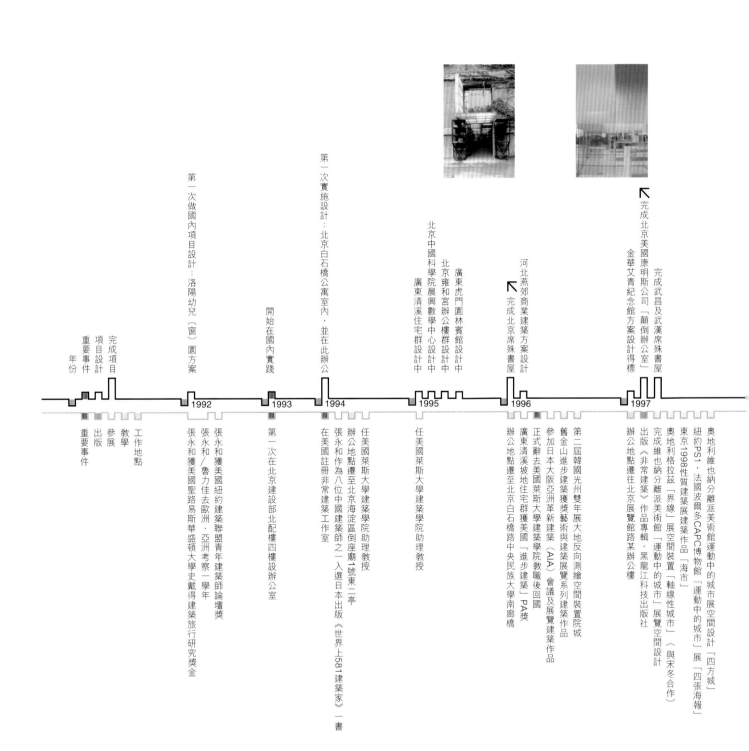

完成項目
項目設計
重要事件
年份

第一次做國內項目設計：洛陽幼兒（窗）園方案

第一次實施設計：北京白石橋公寓室內，並在此辦公

開始在國內實踐

北京中國科學院晨興數學中心設計中
北京雍和宮辦公樓群設計中
廣東虎門園林賓館設計中
廣東清溪住宅群設計中

河北燕郊商業建築方案設計
完成北京席殊書屋

完成武昌及武漢席殊公司「顛倒辦公室」
完成北京美國康明斯公司「運動中的城市」展空間設計「四方城」
金華艾青紀念館方案設計得標

奧地利維也納分離派美術館運動中的城市展空間設計「四方城」
紐約PS1・法國波爾多CAPC博物館「運動中的城市」展「四張海報」
東京1998性質建築展建築作品「海市」
奧地利格拉茲「界線」展空間裝置「軸線性城市」（與宋冬合作）
完成維也納分離派美術館「界線」展覽空間設計
出版《非常建築》作品專輯・黑龍江科技出版社
辦公地點遷往北京展覽館路某辦公樓

1992　1993　1994　1995　1996　1997

工作地點
教學
參展
出版
重要事件

張永和獲美國聖路易斯華盛頓大學史戴德建築旅行研究獎金
張永和／魯力佳去歐洲、亞洲考察一學年
張永和獲美國紐約建築聯盟青年建築師論壇獎

第一次在北京建設部北配樓四樓設辦公室

張永和作為八位中國建築師之一入選日本出版《世界上581建築家》一書
在美國註冊非常建築工作室
任美國萊斯大學建築學院助理教授
辦公地點遷至北京海淀區倒座廟1號東二亭
正式辭去美國萊斯大學建築學院教職後回國
廣東清溪坡地住宅群獲美國「進步建築」PA獎
辦公地點遷至北京白石橋路中央民族大學南廊橋

任美國萊斯大學建築學院助理教授

第二屆韓國光州雙年展大地反向測繪空間裝置院城
舊金山進步建築獎藝術與建築展覽系列建築作品
參加日本大阪亞洲革新建築（AIA）會議及展建築作品

**1998**

完成深圳潤唐山語間住宅
完成北京懷柔山集合住宅
首輪泉州中國小當代美術館設計中
完成石家莊河北教育出版社住宅樓改造
第一個單體建築建成：北京中國科學院晨興數學中心

**1999**

重慶西南生物工程中試基地設計中
完成北京紅石辦公室室內設計
完成北京玻璃洋蔥餐館 2000 年拆除
完成河北燕郊藝術家住宅四宅
完成北京水晶石電腦圖像公司辦公室室內外改造

**2000**

北京遠洋藝術中心設計中
北京長城水關建築師走廊二分宅設計中
石家莊市河北教育社辦公樓設計中
石排鎮政府大樓設計中
石排鎮總體規劃設計中
完成現代城售樓處/樣版間
羅馬美第奇別墅竹頂拆除
北京席殊書屋竹頂
北京竹化大樓設計中（建成後改動）

**2001**

完成北京遠洋藝術中心
完成北京大學（青島）國際會議中心
北京四合院研究
日本岐阜北方住宅設計中
三湖出版社、韓國坡州設計中
北京遠洋藝術中心設計中
柿子林會館設計中
完成北京貝森藝術中心
完成北京大學核磁共振實驗室
任首都城市規劃委員會城市規劃專家委員會委員
杭州五常總體規劃設計中

完成重慶西南生物工程中間試驗基地

與日本磯崎新事務所聯合參加「北京奧林匹克國際體育中心」國際設計競標並入圍

---

**1998**

98中國當代藝術內部觀摩展「城市痕跡」空間裝置「推拉折疊平開門」
印度班加羅爾亞洲革新建築展建築作品
丹麥路易斯安娜現代美術館「運動中的城市」展空間設計「蛇足」及建築作品
參加在印度班安娜爾的第二次亞洲革新建築（AIA）會議
與新加坡陳家毅建築事務所、台北季鐵男建築工作室合作
倫敦建築聯盟建築學院亞洲建築三人展空間裝置及建築作品「回凸田」
辦公地點遷往北京紫竹園南路紫竹大廈

**1999**

曼谷「運動中的城市」展「竹牆」
第七屆威尼斯建築雙年展網上展建築作品「竹化城市」
赫爾辛基亞茲瑪當代美術館「運動中的城市」展裝置「三十窗宅」
倫敦Haywa畫廊「運動中的城市」展空間設計「蛇足」
辦公地點遷往北京大學鏡春園79號甲
張永和創辦北京大學建築研究中心
建立非常建築網頁：www.fcjz.com
美國紐約尖峰藝術學辦首次建築個展「街戲」個展
國際建築師協會第廿屆大會中國青年建築師作品展建築作品

**2000**

第七屆威尼斯建築雙年展空間裝置「竹展風門」
第三屆上海雙年展「海上·上海」空間裝置及建築作品「新里弄住宅」
出版《張永和／非常建築工作室專輯》廣西美術出版社
獻給約翰爵士的四個盒子展覽裝置
東京設計論壇太平洋周邊建築師展建築作品
東京亞洲設計「東風」展建築作品
張永和獲聯合國教科文組織藝術推動獎
倫敦約翰松爵士博物館「追舊步：記憶明天」展裝置「四收景箱」

**2001**

第四屆當代雕塑藝術健康展空間裝置「戲台」
出版《無上下住宅》，中國建築工業出版社
何香凝美術館收藏建築裝置作品「戲台」
柏林AEDES建築畫廊「折雲空間設計」·漢堡站德國國家畫廊空間裝置芬土牆空間裝置及建築作品
完成柏林德國國家畫廊生活在此時空間設計「折雲」
非常建築前衛藝術家招貼展「紅門畫廊」·北京
柏林德國國家畫廊當代藝術家招貼展「紅門畫廊」
第一屆梁思成建築設計雙年展空間設計「城牆」
美國曼切斯特中國藝術中心當代中國設計展建築作品「中國製造」
日本佐賀早稻田BAUHAUS展覽品
上海「中國房子建造」五人文獻展

**2002**

參加廣西南寧柳州半島總體規劃設計競賽並得標

北京中央電視台新台址國際競標獲第二名
與日本伊東豐雄事務所聯合參加

完成上海五原路辦公樓

完成北京水關長城建築師走廊二分宅

北京蘋果二十二院街設計中

廣東東莞松山湖生產力大廈設計中

完成蘋果社區總體規劃

**2003**

湖南吉首大學綜合科研教學樓及黃永玉博物館設計中

四川安仁鎮文革宣傳畫博物館及周邊商住設計中

四川安仁建川博物館聚落規劃（與成都家琨合作）設計中
浙江金華建築藝術公園17#綜合空間設計中
內蒙古達里諾爾自然保護區宣教中心設計中

完成北京蘋果社區售樓處美術館

北京用友軟體園1號研發中心設計中

江蘇省南京鋼格柵宅設計中

**2004**

北京運河岸上的院子總體規劃、樣版區景觀設計

完成北京運河岸上的院子整區立面改造及戶型樣版間
上海尚都里休閒廣場設計中
完成內蒙古達里諾爾自然保護區宣教中心

完成河北石家莊市河北教育出版社辦公樓

完成北京柿子林會館

**2005**

廣東東莞松山湖工業設計大廈施工中

上海唐宮海鮮坊銀河賓館店室內設計施工中

北京唐宮海鮮坊新世紀店室內擴建施工中

北京運河岸上的院子整區景觀設計及單體施工中

北京用友軟體園1號研發中心施工中

江蘇省南京鋼格柵宅準備中

四川安仁建川鎮文革宣傳畫博物館施工中

四川安仁博物館及周邊商住施工準備中

湖南吉首大學綜合科研教學樓及黃永玉博物館施工中

四川安仁建川博物館聚落規劃（與成都家琨合作）施工中
浙江金華建築藝術公園17#綜合空間施工中

---

與美國著名建築師STEVEN HOLL聯合創辦雜誌《32：北京/紐約》

與水晶石公司合辦「北京城記憶數字影像展」

由中美術館收藏建築裝置作品「六箱建築」

任美國哈佛大學設計研究院丹下健三教授教席並舉辦個展

在美國哈佛大學設計研究院丹下健三教授教席並舉辦個展::「六箱建築」

出版專著平常建築，中國建築工業出版社

《Yung Ho Chang / Atelier peichang Jianzhu: A Chinese Practice》
辦公地點遷往北京圓明園東門內

在香港出版英文作品專輯《MAP出版社》

擔任香港建築師協會年度獎評審委員

法國巴黎市現代藝術博物館三人展空間裝置「影室」

第五十屆威尼斯藝術雙年展空間裝置「坡地」

第五十屆威尼斯藝術雙年展威尼斯冰雪展「減宅」

第五十屆威尼斯藝術雙年展空間裝置「影室」

任美國哈佛大學設計研究院丹下健三教授教席
舉辦非常建築十年研討會及展覽

紀念中國美術館建館40周年展威尼斯冰雪展「減宅」

日本越后妻有藝術三年展永久性空間裝置「稻宅」

巴黎龐畢度國家藝術文化中心空間裝置及建築作品

第五十屆威尼斯藝術雙年展空間裝置「屏牆」

張永和任同濟大學客座教授

出版英日文作品專輯《Works: 10X2 承孝相與張永和》（ToTo出版）

在日本東京間畫廊舉辦「承孝相與張永和」二人展

北京柿子林會館獲2004年度WA建築獎優勝獎

英國10X10_2, Phaidon 出版入選2建築作品

參加法國波爾多「東、西、南、北」建築展

張永和任美國麻省理工學院建築系主任、教授

義大利米蘭Postmedia 出版專著《Yung Ho Chang》

張永和任美國密西根大學教授

第五十一屆威尼斯藝術雙年展中國館「竹跳」空間裝置

在美國前波畫廊舉辦個展

河北教育出版社辦公樓獲2004年度中國建築藝術年

# 誌 謝

圖片提供：

曹揚：　　14 - 18 - 19 - 21 - 22 - 23　25 - 47 - 48(左) - 49(全3張) - 51 - 53 - 54 - 55 - 57(右) - 59(上/下) - 60(右卜) - 61 - 63(全3張) - 65(全4張) - 67(全3張) - 70 - 71 - 72(上) - 73(上/下) - 74 - 75 - 79(上/下) - 91(上/下) - 93 - 94(上/下) - 95(上/下) - 97 - 98 - 99 - 100(全3張) - 101(上/下) - 103 - 120(上2張) - 121(下2張) - 122(下2張) - 123(下)

柳亦春：　77 - 80(上3張) - 81(上/下)

付興：　　34 - 36(全2張) - 38 - 39 - 40 - 41 - 42 - 68(全2張) - 69 - 82(右下4張) - 83(全2張) - 85 - 87(全2張) - 88(上2張) - 89(下2張) - 148(上2張) - 149(全2張)

王暉：　　119(右4張) - 123(上)

淺川敏：　121(上) - 122(上) - 123(右下) - 124 - 125(右下)

舒赫：　　126 - 127(全3張) - 128 - 129 - 130(上/下) - 131 - 132 - 133(右2張) - 141 - 143(上/下) - 144 - 145(全3張) - 147 - 150 - 151 - 152(上/下) - 153(全3張) - 173 - 176(上/下) - 177

梁思聰　　135(全3張) - 136 - 137(全4張) - 139(右上/右下)

方振寧：　17 - 138(下)

楊潮：　　157 - 159(右上2張)

魯力佳：　13 - 31

劉揚：　　28 -155（全3張）-158（上2張）-159（下2張）

姜珺：　　11

水晶石電腦圖像公司效果圖製作：179 - 181 - 183 - 188 - 189 - 190 - 191 - 201 - 204 - 205 - 210 - 211

台北當代藝術館：214(上2張)


※其餘圖片未註明者，皆為非常建築提供。


在此誠摯感謝所有貢獻才能、付出心力的人們，一同參與這個十分艱鉅然而又極為令人振奮的實踐工作—非常建築；同時也感謝那些曾和我們一起工作，以及一路上支持我們的朋友。

—張永和

周榕　　白晨　　胡賁　　郝爽　　杜鵑　　　張永和　　蔣凡　　趙星　　陸軼辰
劉魯濱　　　陸翔　　范凌　郭勁輝　魯力佳　　張波　　陳碩　　朵寧
　　　陳龍　　何哲　　張暉楊　賈蓮娜　尚磊　　劉揚　　王寬

**團隊**

# 關於非常建築設計

非常建築成立於1993年，包括總建築師張永和，人員時有增減，大概總在20多人左右。在漢語中，"非常建築"一詞作爲名詞，意爲：非常規的建築、特殊的建築、緊急的建築；作爲動詞，意爲：非常規地建造；作爲形容詞，意爲：很有建築意味的，符合建造規律的。

我們感興趣"非常建築"這一片語的所有內涵，同時不認爲它們之間存在著任何固有的矛盾。

在中國，目前大規模、大量、高速的建設狀態鼓勵社會性的建築實踐。但爲了在如此巨大的規模、量和速度中仍然能保持批判的立場，我們堅持關注於基本建築的研究。非常建築的工作通常從一些基本的建築問題出發，如：使用組織、場地、空間、材料、建造等，這些問題又根植於中國的城市、景觀、傳統和文化。非常建築的工作成果涉及從私人住宅到政府機構、從城鎮規劃到展覽佈置，以及家具和平面設計等各項內容。

對非常建築來說，"建築"更多的是一個動詞，它強調的更是過程而不僅是結果。在過去的十一年中，非常建築工作室嘗試著"建築"了一百幾十多次。

中國的社會和文化正在經歷深刻的變革，因此，對於建築師來說，擁有的機會不但是建造一棟建築去影響生活空間，更是致力於當代中國面貌的成形過程。這是對非常建築，對在中國的類似工作的最終挑戰。

國立中央圖書館出版品預行編目資料

建築「動詞」：張永和／ 非常建築作品集；張永和／ 非
常建築 編.--初版--臺北市；田園城市文化事業有限公司，
2005 (民94)
面；　　　公分

ISBN 986-7705-58-0（平裝）

1. 建築—設計—作品集　　2.建築藝術—論文，講詞等

920.9　　　　　　　　　　　　　93015412

# 建築「動詞」：張永和／ 非常建築作品集

編者　　　張永和 / 非常建築
文字　　　Lars Lerup、阮昕、侯瀚如、周榕、張永和 / 非常建築
ISBN　　　986-7705-58-0

藝術編輯　林銀玲
企畫編輯　席　芬
發行人　　陳炳槮
發行所　　田園城市文化事業有限公司
地址　　　104 台北市中山北路二段72巷6號
電話　　　(02)25319081
傳真　　　(02)25319085
定價　　　500元
登記證　　新聞局局版台業字第6314號
郵政劃撥　19091744
戶名　　　田園城市文化事業有限公司
初版一刷　西元 2006 年 3 月
網址　　　www.gardencity.com.tw
電子信箱　gardenct@ms14.hinet.net